LLYFR MAWR
Straeon
Y NADOLIG

LLYFR MAWR
Straeon
Y NADOLIG

Straeon: Bob Hartman | Darluniau: Krisztina Kállai Nagy

Addasiad Cymraeg: Angharad Tomos

CYHOEDDIADAU'R GAIR

Cyhoeddwyd gan Gyhoeddiadau'r Gair 2011

Cyhoeddwyd yn wreiddiol dan y teitl
The Lion Storyteller Christmas Book
gan Lion Hudson

Testun gwreiddiol Ⓗ © : Bob Hartman
Addasiad Cymraeg: Angharad Tomos

Golygydd Cyffredinol: Aled Davies

Darluniau Ⓗ © : Krisztina Kállai Nagy
Cysodi: Rhys Llwyd

Cyd-argraffiad byd-eang wedi'i drefnu gan Lion Hudson plc, Rhydychen

Argraffwyd yn China
ISBN: 9781859946985
Cedwir pob hawl

Mae'r cyhoeddwr yn cydnabod cymorth ariannol a golygyddol
Cyngor Llyfrau Cymru.

Cyhoeddwyd gan:
Cyhoeddiadau'r Gair
Ael y Bryn, Chwilog,
Pwllheli, Gwynedd
LL53 6SH

Cynnwys

Storïau am Draddodiadau'r Nadolig

Chwedlau'r Nadolig

Cyflwyniad

Sêr a chanhwyllau. Coed a chlychau. Preseb a bugeiliaid ac anrhegion wedi'u lapio mewn papur lliwgar. Dyma rai pethau sy'n ein hatgoffa ni ei bod hi'n Nadolig. Rydw i'n meddwl y dylen ni ychwanegu storïau at y rhestr hefyd. At fy rhestr i, beth bynnag, gan fod storïau wedi bod yn rhan bwysig o'r Nadolig i mi erioed.

Dyna i chi'r cartwnau – Charlie Brown druan yn gwneud ei orau glas i addurno'i goeden fach denau. Yna, ffilmiau du a gwyn oedd yn codi ofn arna i, yn enwedig *Christmas Carol* â'r teclyn curo drws anghynnes hwnnw. Ac wrth gwrs, dyna i chi'r stori arall honno – yr un roddodd gychwyn i'r cyfan. Yr un a minnau yn fy ngŵn nos, a'm brodyr druan yn tisian am eu bod yn rhy agos at wellt y preseb, a dol fy chwaer yn cymryd arni ei bod yn Fab Duw.

8

Pan oeddwn i'n blentyn, roedd y Nadolig yn llawn storïau ac ers blynyddoedd lawer, fel gweinidog ac fel storïwr proffesiynol, rydw i wedi mwynhau cael adrodd storïau'r Nadolig. Felly, yn y llyfr hwn fe hoffwn i rannu rhai o'r storïau hyn gyda chi. Y stori am y Nadolig cyntaf i ddechrau. Yna, storïau am darddiad gwahanol draddodiadau'r Nadolig. Ac yn olaf, casgliad o chwedlau Nadolig. Maen nhw'n dod o sawl gwlad a sawl diwylliant (rydw i wedi cynnwys un neu ddwy o'm storïau fy hun!). Ond mae pob stori'n adlewyrchu, yn ei ffordd ei hun, y rhyfeddod a'r wefr sy'n cael eu cysylltu â chyfnod mwyaf arbennig y flwyddyn.

Pa bryd bynnag y byddaf yn sgrifennu stori Nadoligaidd, rydw i'n hoffi meddwl y bydd yn rhodd i'r gwrandawyr. Rwy'n gweithio rhyw fymryn yn galetach arni, yn ei saernïo yn fwy gofalus, ac o ganlyniad, fel y rhoddion gorau, mae'n rhoi pleser di-ben-draw. Dyna fy ngobaith efo'r gyfrol hon hefyd – y byddwch yn ystyried y storïau fel rhyw fath o rodd. Rhodd i chi a'ch teulu, ond rhodd hefyd i ddiolch am yr anrheg Nadolig gyntaf, a'r fwyaf rhyfeddol ohonynt oll.

Bob Hartman

Storïau Nadolig o'r Beibl

Dros y canrifoedd, trosglwyddwyd storïau Nadolig o'r Beibl o'r naill genhedlaeth i'r llall. Caiff y storïau hyn eu hailadrodd o'r newydd gan gyfleu'r rhyfeddod a'r gorfoledd oedd yn rhan o'r digwyddiad, sef genedigaeth baban arbennig iawn, Iesu.

Stori Sachareias

Angel oedd Gabriel. Angel prysur iawn.

Roedd Duw wedi penderfynu bod yr amser wedi dod iddo anfon ei Fab i'r byd. Felly gofynnodd i Gabriel baratoi pethau.

Y peth cyntaf wnaeth Gabriel oedd ymweld â hen offeiriad o'r enw Sachareias. Doedd ganddo fo a'i wraig, Elisabeth, ddim plant ac roedd hynny wedi'u gwneud yn drist iawn ar hyd eu hoes. Felly un diwrnod, tra oedd Sachareias yn gweithio yn y deml yn Jerwsalem, daeth yr angel Gabriel ato.

Doedd Sachareias erioed wedi gweld angel o'r blaen, ac roedd y profiad yn un brawychus iddo. Trodd ei goesau'n jeli. Roedd yn crynu, ac yn ysgwyd ac yn gynnwrf i gyd.

'Paid â bod ofn,' meddai Gabriel yn dyner. 'Rydw i wedi dod yma i roi newyddion da i ti. Rwyt ti a dy wraig wedi bod yn gweddïo am blentyn ers blynyddoedd, ac yn fuan iawn, fe fyddwch chi'n cael un. Ioan fydd ei enw, ac wedi iddo dyfu

bydd yn helpu'r byd i baratoi i gyfarfod Mab arbennig Duw ei hun!'

'Ond mae fy ngwraig a minnau mor hen,' meddai Sachareias. 'Sut allwn ni gael plentyn?'

'Mi wna i brofi i chi fy mod i'n dweud y gwir,' meddai Gabriel gan wenu. 'O rŵan tan yr eiliad y bydd y plentyn yn cael ei eni, fyddi di ddim yn gallu dweud yr un gair. Dyna sut y byddi di'n gwybod bod yr hyn dwi'n ei ddweud yn wir.'

Agorodd Sachareias ei geg i ateb yr angel. Ond ni ddaeth unrhyw sŵn allan ohoni. Dim sibrwd, dim smic. Dim siw na miw!

Felly, aeth allan o'r deml, ei lygaid ar agor led y pen a'i geg wedi'i chau'n glep. Ac mewn dim, daeth ei wraig ato wedi gwirioni, gan fod ganddi'r newyddion mwyaf anhygoel i'w rhannu gydag o.

'Rydw i'n mynd i gael babi!' llefodd, a dagrau lond ei llygaid. 'Ar ôl yr holl flynyddoedd hyn, mae ein gweddïau wedi cael eu hateb!'

Roedd Sachareias eisiau cytuno â hi. Roedd eisiau dweud, 'Fe ddywedodd yr angel y cyfan wrtha i.' Roedd eisiau gweiddi 'Hwrê!' dros bob man. Ond y cwbl roedd o'n gallu ei wneud oedd gwenu fel giât. Ac roedd y wên honno'n dweud y cyfan!

Newyddion da i Mair

Roedd yr angel Gabriel yn brysur unwaith eto.

Chwe mis ar ôl i Elisabeth ddarganfod ei bod yn disgwyl babi, aeth i weld ei chyfnither, merch o'r enw Mair.

Roedd Elisabeth a Mair yn hollol wahanol i'w gilydd.

Yn y de yr oedd Elisabeth yn byw, ger dinas fawr Jerwsalem. Ond yn y gogledd roedd Mair yn byw, mewn tref fechan o'r enw Nasareth.

Roedd Elisabeth yn hen ond Mair yn ifanc.

Roedd Elisabeth wedi bod yn briod ers blynyddoedd lawer, ond doedd Mair ddim yn briod. Er hynny, roedd hi wedi dyweddïo gyda saer o'r enw Joseff.

Roedd Mair yn ei chartref un diwrnod, yn breuddwydio am ddydd ei phriodas a'r bywyd y byddai hi a Joseff yn ei gael gyda'i gilydd. A dyna pryd y gwelodd yr angel Gabriel – yn disgleirio'n llachar ac yn aur i gyd – yn union fel roedd wedi ymddangos i Sachareias.

'Helô, Mair,' meddai Gabriel. 'Mae Duw gyda ti, ac mae o eisiau gwneud rhywbeth go arbennig i ti.'

Doedd Mair ddim yn gwybod beth i'w feddwl. Doedd hi erioed wedi gweld angel o'r blaen ac er iddi glywed bod Duw eisiau gwneud rhywbeth arbennig iddi, doedd ganddi ddim syniad beth oedd ystyr hynny. Roedd ganddi ormod o ofn gofyn, a gallai Gabriel weld ei bod yn bryderus.

'Does dim angen i ti fod ofn,' meddai wrthi. 'Mae Duw wedi dy ddewis i wneud rhywbeth rhyfeddol. Mae o eisiau i ti fod yn fam i fabi bach, babi o'r enw Iesu.'

Edrychai Mair yn fwy pryderus nag erioed, a doedd hi ddim yn deall chwaith.

'Dydw i ddim yn deall,' meddai. 'Sut galla i gael babi pan nad oes gen i ŵr hyd yn oed?'

Gwenodd Gabriel yn garedig arni. Ond roedd dirgelwch yn y wên hefyd.

'Bydd ysbryd Duw ei hun yn dod i dy weld,' meddai. 'Fel cysgod braf rhag yr haul ar ddiwrnod poeth o haf, bydd yn dod atat, ac yn lapio'i hun amdanat. A bydd y plentyn fydd yn dod yn fyw ynot ti yn blentyn i Dduw hefyd.'

Erbyn hyn roedd Mair yn crynu. Roedd ei llygaid ar agor led y pen mewn rhyfeddod. Roedd ei cheg ar agor hefyd. Doedd hi erioed wedi clywed y fath beth!

'Rydw i'n gwybod ei bod hi'n anodd credu,' meddai Gabriel wedyn. 'Ond mae Duw yn gallu gwneud pob math o bethau. Oeddet ti'n gwybod bod dy gyfnither – dyna ti, Elisabeth, nad oedd yn gallu cael plant – yn feichiog? Amhosib ddywedaist ti? Nid i Dduw. Felly beth ydi dy ateb, Mair? Wnei di fod yn fam i Fab Duw?'

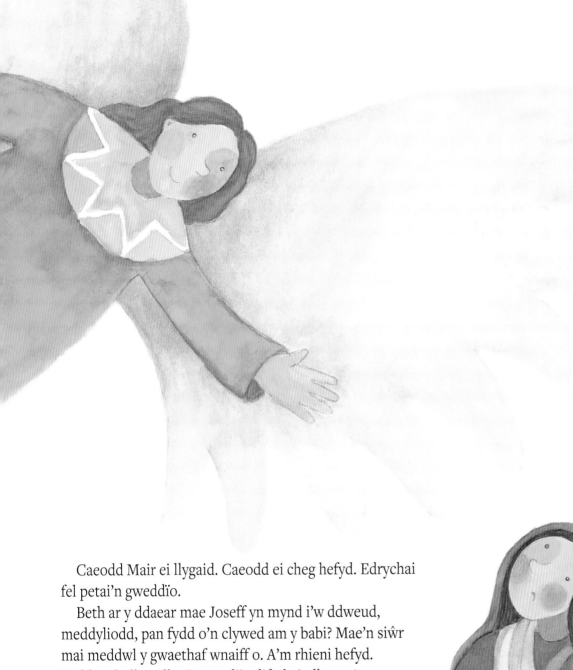

Caeodd Mair ei llygaid. Caeodd ei cheg hefyd. Edrychai fel petai'n gweddïo.

Beth ar y ddaear mae Joseff yn mynd i'w ddweud, meddyliodd, pan fydd o'n clywed am y babi? Mae'n siŵr mai meddwl y gwaethaf wnaiff o. A'm rhieni hefyd. Bydd eu holl gynlluniau wedi'u difetha'n llwyr. Ac eto, mae gan Dduw gynllun. Mae o wedi fy newis i – fi o bawb! – i fod yn rhan o'i gynllun. Beth fedra i ei wneud ond cytuno?

Ac felly, amneidiodd Mair. A'i llygaid yn dal ar gau, a'i phen mewn gweddi, nodiodd.

'Mi wna i,' meddai. 'Mi wna i fod yn fam i Fab Duw.'

A phan agorodd ei llygaid, roedd yr angel wedi diflannu.

Cân Arbennig Mair

Roedd yn rhaid i Mair gael dweud wrth rywun!

Roedd y newyddion a gafodd gan Gabriel mor anhygoel, roedd hi'n meddwl ei bod hi wedi breuddwydio'r cyfan. Felly rhuthrodd Mair i weld yr un person yn y byd fyddai'n deall yn well na neb – ei chyfnither Elisabeth.

Roedd Elisabeth yn disgwyl plentyn ei hun, yn doedd. Roedd Gabriel yr angel prysur wedi addo y byddai hi a Sachareias ei gŵr yn cael mab bach.

'Helô,' meddai Mair wrth ei chyfnither. Ond yn lle ateb, y cwbl wnaeth Elisabeth oedd rhoi ochenaid fach, 'O!'

'Fy mabi!' meddai Elisabeth. 'Pan ddywedaist "Helô!", fe roddodd naid y tu mewn i mi! Mae o'n gwybod yn iawn. Mae o'n gwybod bod y babi yn dy groth di yn Fab Duw.'

Roedd Elisabeth yn gwybod yn barod! Hyd yn oed cyn i Mair ddweud wrthi. Roedd Elisabeth yn gwybod. Erbyn hyn, roedd Mair wedi'i syfrdanu mwy nag erioed.

'Mae Duw wedi gwneud rhywbeth anhygoel i ti,' meddai Elisabeth wrth Mair. 'Ac mae'n rhaid i ti ymddiried ynddo fo y daw popeth yn wir – yn union fel y dywedodd yr angel wrthot ti.'

Cytunodd Mair. 'Rydw i'n credu hynny, Elisabeth, ar fy ngwir.' Yna, edrychodd ar Elisabeth, a meddwl. Ac yna siaradodd eto – fel petai hi'n adrodd neu'n canu ei chân arbennig ei hun:

> Da fu Duw i mi
> A dydw i ddim yn ei haeddu.
> Tydw i'n ddim, yn neb.
> Ond dewisodd Duw fi
> I fod yn fam i'w Fab!
> Un diwrnod, rwy'n siŵr o hyn,
> Bydd pawb yn gwybod fy enw
> Ac yn gallu adrodd fy stori.
> Dyna sut mae Duw yn gweithio.
> Mae'n gostwng y rhai cryf
> Ac yn codi'r rhai truan a gwan.
> Mae'n anfon y cyfoethog ymaith heb fwyd
> Ac yn bwydo'r rhai sy'n llwgu.
> Mae wedi gofalu am ei bobl, Israel,
> Ers dechrau'r byd gydag Abraham.
> A rŵan, clod i Dduw,
> Mae'n gwylio trosof fi!

Wedi iddi orffen ei chân, cofleidiodd Mair ei chyfnither Elisabeth. Arhosodd gyda hi am dri mis nes i Ioan, babi Elisabeth, gael ei eni, ac yna aeth adref i Nasareth.

Enw i'r Babi

'Beth fydd ei enw? Dywedwch, da chi!'

Dyna'r cyfan roedd pobl eisiau ei wybod: brodyr a chwiorydd Elisabeth; ei nithod a'i neiaint; ei chyfnitherod, ei chymdogion a'i chyfeillion.

Daeth pawb draw i ddathlu genedigaeth ei babi. Roedd pawb yn gwybod pa mor hir y bu'n aros am blentyn a pha mor faith y bu'n gweddïo. Roedden nhw wedi gwirioni o glywed y newyddion ei bod hi am gael babi o'r diwedd. Ac yn awr, roedden nhw am wybod ei enw.

'Efallai y bydd yn cael ei enwi ar ôl ein hewythr annwyl, Esra,' awgrymodd ei chwaer.

'Neu Taid Saul,' meddai rhywun arall. 'Edrychwch, mae'n gwenu!'

'Neu beth am roi enw Tada arno?' gofynnodd un o'i brodyr. 'Byddai hynny'n syniad da!'

Dyna pryd y rhoddodd Elisabeth daw arnyn nhw. 'Rydyn ni wedi dewis enw yn barod. Ei enw fydd Ioan.'

Roedd pawb yn dawel yn y stafell am funud. Yna, gofynnodd chwaer hynaf Elisabeth y cwestiwn roedd pawb eisiau ei ofyn.

'Ioan? Pam Ioan? Does neb yn ein teulu ni efo'r enw hwnnw.'

A dyna pryd y trodd Elisabeth at ei gŵr, Sachareias. Roedd o wedi bod yn dawel drwy'r cyfan (ers i Gabriel yr angel prysur ddwyn ei lais, yn doedd?).

Amneidiodd Sachareias a rhoi gwên ryfedd. Yna cododd lechen ysgrifennu, ac ysgrifennu brawddeg yn glir arni i bawb ei gweld. 'Ei enw fydd Ioan.' A'r munud y gwnaeth hynny, gallai Sachareias siarad unwaith eto!

'Clod i Dduw!' meddai. A wnaeth o ddim tawelu nes roedd wedi dweud popeth am ymweliad yr angel ac addewid Duw a sut roedd Gabriel wedi dweud wrtho yn union beth fyddai enw'r baban.

'Bydd hwn yn blentyn arbennig!' meddai ar y diwedd. 'Mae gan Dduw gynlluniau mawr ar ei gyfer.'

Ac roedd hynny'n hollol wir. Oherwydd pan dyfodd Ioan yn ddyn, aeth i fyw yn yr anialwch. Locustiaid fyddai'n fwyta i swper, a mêl gwyllt yn bwdin. Dywedodd wrth bobl Dduw am newid eu ffyrdd a byw'n wahanol, am deimlo'n ddrwg am y ffordd y buon nhw'n byw, er mwyn paratoi i gyfarfod Mab arbennig Duw.

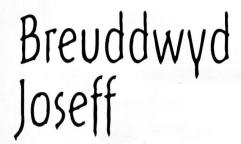

Breuddwyd Joseff

Saer oedd Joseff, a doedd o ddim yn hapus. Ddim yn hapus o gwbl.

Roedd y ferch yr oedd wedi bwriadu ei phriodi yn disgwyl plentyn, ac nid fo oedd tad y plentyn.

Roedd Mair wedi ceisio egluro iddo. Roedd wedi sôn am yr angel a beth roedd wedi'i ddweud wrthi. Roedd wedi dweud mai Mab arbennig Duw oedd y babi. Ond pwy fyddai'n credu'r fath stori? Nid Joseff yn sicr. A phwy allai weld bai arno? Roedd y stori mor anhygoel, prin y gallai Mair ei hun ei chredu!

Yn y diwedd, penderfynodd Joseff beidio priodi. Byddai'n dweud yn ddistaw bach wrth bobl, rhag ofn i Mair deimlo cywilydd. A dyna pryd y penderfynodd Gabriel yr angel prysur fynd draw i'w weld.

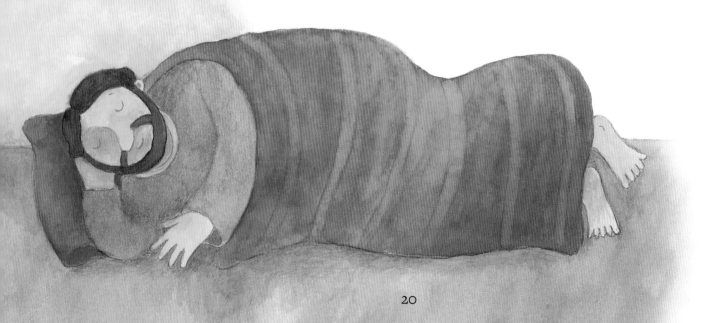

Daeth at Joseff mewn breuddwyd, yn disgleirio'n llachar ac yn aur i gyd, yng nghanol y nos.

'Does dim rhaid i ti boeni,' meddai'n dawel wrth Joseff. 'Does dim eisiau bod ofn. Mae popeth ddywedodd Mair wrthot ti'n wir. Mae'r babi sydd yn ei chroth yn Fab arbennig i Dduw. A phan fydd yn cael ei eni, mae Duw am i chi ei alw'n Iesu. Ystyr hynny yw "Mae Duw yn achub". A phan fydd yn tyfu'n ddyn, dyna'n union beth wnaiff o. Fo fydd "Duw gyda ni". Fo fydd "Duw ddaeth i'n hachub" oddi wrth bopeth sy'n ddrwg ac yn dywyll.'

Pan ddeffrodd Joseff, gwyddai yn union beth ddylai ei wneud. Aeth yn syth i dŷ Mair. Cofleidiodd hi a dweud fod yn ddrwg ganddo nad oedd wedi'i chredu. Yna, priododd y ddau mor fuan â phosib. Ac aeth â hi adref i fod yn wraig iddo.

Amser Cyfri'r Bobl

Cyfrodd Mair y misoedd.

  Un, dau tri,

  pedwar, pump, chwech,

  saith, wyth a naw.

  Roedd hi bron iawn yn amser i'r babi gael ei eni!

  Cyfrodd Mair y blancedi, a'r tyweli. Yna gwenodd Mair. Roedd popeth yn barod – yn barod ar gyfer genedigaeth Mab arbennig Duw.

  Ond roedd rhywun arall yn cyfri hefyd. Ac roedd cynlluniau Mair ar fin cael eu chwalu.

  'Yr Ymherawdr!' ochneidiodd Joseff, wrth gerdded i mewn i'r tŷ. 'Mae o eisiau cyfri pawb sydd yn y wlad. Pawb! Ac i wneud pethau'n hwylus iddo fo, mae'n rhaid i ni fynd i'r dref lle cefais i fy ngeni.'

  'Dy dref di?' meddai Mair yn syn. 'Ond mae hynny'n golygu bod yn rhaid i ni deithio'r holl ffordd i ...'.

  'Fethlehem,' meddai Joseff gan ochneidio. 'Wythnos o daith o leiaf! Fydd hi ddim yn hawdd a'r babi ar ei ffordd.'

  'Fedra i mo'i wneud o,' meddai Mair a dechrau crio. Powliodd y dagrau i lawr ei gruddiau.

  Un, dau, tri,

  pedwar, pump, chwech,

  saith, wyth, naw.

Cyfrodd Joseff bob deigryn. Yna, fe sychodd nhw i gyd.

'Bydd raid i ti,' meddai'n garedig. 'Dyna'r gyfraith. Neu fe fyddwn ni mewn trwbwl mawr.'

Yna, gafaelodd yn dynn ynddi, ei chusanu, a dweud yn dyner, 'Cofia hyn – mae Duw gyda ti. Dyna ddywedodd yr angel wrthot ti. Ac os ydi Duw ar dy ochr di, mi wnaiff o dy helpu i wneud y daith. Bydd o wrth dy ymyl bob cam o'r ffordd,' meddai Joseff gan wenu. 'Fe elli di ddibynnu arno fo!'

Taith Hir

Un, dwy, tair,

   pedair, pump, chwech,

   saith, wyth a naw.

   Cyfrodd Mair y milltiroedd. Cyfrodd gamau'r asyn. A'r nifer o weithiau y ciciodd y babi'r tu mewn iddi.

   Roedd yn daith faith. A phoeth. A gweddïai Mair y byddai ar ben yn fuan.

   Un, dwy, tair,

   pedair, pump, chwech,

   saith, wyth a naw.

   Gan ei bod yn cyfri, gwyddai Mair fod ganddi ffordd bell i fynd o hyd.

   O'r diwedd, pan ddaethon nhw i Fethlehem, chwiliodd Mair a Joseff am le i aros.

   Un, dau, tri,

   pedwar, pump, chwech,

   saith, wyth a naw.

   Roedd yn rhaid curo ar ddrws ar ôl drws. Ond wrth bob drws, yr un oedd yr ateb. 'Does dim lle yma. Ewch mlaen!'

   Dechreuodd Mair grio.

   'Fy mabi!' meddai. 'Mae'r babi'n dod! Mae'n rhaid i mi gael rhywle i orffwys.'

   Felly, aeth Joseff i chwilio ar hyd y stryd unwaith eto.

   Un, dau, tri,

   pedwar, pump, chwech,

   saith, wyth a naw.

   Ac yna, wrth ddrws rhif deg, daeth o hyd i dŷ roedd wedi mynd heibio iddo!

   Agorodd y drws. Gwenodd gŵr y llety ond pan ofynnodd Joseff am stafell wag, ysgydwodd y gŵr ei ben.

'Mae Bethlehem yn llawn dop,' meddai'n drist. 'Does 'na ddim lle yma o gwbl.'

'Ond mae fy ngwraig ...' plediodd Joseff, 'mae fy ngwraig ar fin cael babi.'

'Mi alla i weld hynny,' meddai gŵr y llety. 'Ond mae'n ddrwg gen i, does dim y galla i ei wneud.' A dechreuodd gau'r drws.

'Plis!' meddai Joseff.

'Plis!' meddai Mair yn ei dagrau.

A dyna pryd yr agorodd y drws unwaith eto.

'Mae 'na le,' meddai gŵr y llety, 'tu ôl i'r dafarn. Dim byd crand, coeliwch fi. Ond mae'n gynnes, yn lân ac yn sych. Ac fe gewch chi eni eich babi'n ddiogel yno.'

Aeth â nhw i'r stabl. Ac yno, ymysg yr anifeiliaid, y gorweddodd Mair yn y gwellt, a rhoi genedigaeth i Fab arbennig Duw.

25

Stabl Swnllyd

Doedd dim byd arbennig am y lle. Dim ond stabl gyffredin, yn llawn synau cyffredin.

Bref ddofn y fuwch fawr ddu.

Nadu swnllyd yr asyn bach llwyd.

Trydar y golomen a bref yr oen, a sgriffian ysgafn y pry copyn wrth iddo ddringo'r mur.

Ond yna daeth sŵn arall, sŵn anghyffredin. Sŵn nad oedd neb wedi'i glywed yn y stabl hon o'r blaen – gwaedd uchel babi newydd ei eni.

Baban Mair oedd hwn wrth gwrs. Y baban yr oedd yr angel Gabriel wedi'i addo iddi. Ond doedd dim byd cyffredin am hwn. Hwn oedd Iesu Grist, Mab arbennig Duw ei hun.

Brefodd y fuwch fawr ddu.

Nadodd yr asyn bach llwyd.

Bu'r golomen yn trydar, brefodd yr oen a straffagliodd y pry copyn yn ôl i'w wâl.

Dim ond stabl gyffredin â synau cyffredin oedd hon ...

ac un bachgen bach cwbl anghyffredin!

Llu o Angylion

Roedd gan Gabriel yr angel prysur un dasg Nadolig arall i'w gwneud. Roedd yn rhaid iddo ddweud wrth rywun fod y baban Iesu wedi'i eni.

Gallai fod wedi dweud wrth rywun pwerus – fel y brenin.

Gallai fod wedi dweud wrth rywun crefyddol – fel yr archoffeiriad.

Neu gallai fod wedi dweud wrth rywun cyfoethog – fel y gŵr â'r mwyaf o arian ym Methlehem.

Ond na, dywedodd wrth y bugeiliaid – pobl gwbl gyffredin, pobl fel ni!

Roedden nhw'n gofalu am eu defaid ar ochr y mynydd. Roedd yn hwyr ac yn dywyll. A'r cyfan roedd ambell un am ei wneud oedd mynd i gysgu.

Dyna pryd y daeth Gabriel i'r golwg – yn disgleirio'n llachar ac yn aur i gyd – yn union fel yr oedd wedi ymddangos i Mair a Sachareias.

'Peidiwch â bod ofn!' meddai wrth y bugeiliaid, a gwenodd wrth sylweddoli pa mor wirion y swniai hynny.

Wrth gwrs fod ganddyn nhw ofn! Pwy na fyddai'n ofnus wrth weld angel? Doedden nhw erioed wedi gweld y fath beth o'r blaen. Dyna pam roedden nhw'n crynu ac yn syfrdan fel defaid wedi dychryn.

'Mae gen i newyddion da i chi!' eglurodd Gabriel. 'Mae Duw wedi anfon rhywun arbennig iawn aton ni, i ddod â gorfoledd i'r byd tywyll hwn. Heno, mae'r rhywun hwnnw wedi'i eni, ddim ymhell o fan hyn – ym Methlehem! Ewch i chwilio am y babi bach; bydd wedi'i lapio'n dynn ac yn gorwedd mewn preseb.'

Yna, yn sydyn, nid Gabriel oedd yr unig angel yn yr awyr. Ar yr olwg gyntaf, edrychai'r angylion eraill fel defaid, yn llachar yn yr awyr ddu, fel adlewyrchiad o'r anifeiliaid ar y bryn oddi tanyn nhw. Ond wrth i'r bugeiliaid eu gwylio, lledodd yr angylion eu hadenydd a dechrau canu:

'Gogoniant i Dduw yn y nefoedd
A thangnefedd i ddynion ar y ddaear!'

Ac wedi iddyn nhw orffen canu, fe ddiflannon nhw, gan adael y bugeiliaid ar eu pennau eu hunain.

Cyn pen dim, roedd y bugeiliaid wedi codi ar eu traed ac wedi teithio i Fethlehem. Yno, fe ddaethon nhw o hyd i Fair a Joseff a'r bachgen bach yn y preseb. Ar ôl iddyn nhw ddisgrifio'r hyn a welson nhw i ŵr y llety a'i wraig a phwy bynnag arall oedd yn gwrando, roedd pawb wedi'u syfrdanu ac yn rhyfeddu. Pawb ond Mair, hynny yw – roedd hi'n gwenu fel petai hi'n gwybod bod hyn yn mynd i ddigwydd.

Yna, gan ganu a chwerthin, aeth y bugeiliaid yn ôl i'r bryniau.

Ond roedden nhw'n dal i gadw golwg ar yr awyr, rhag ofn i haid arall o angylion ymddangos!

Y Seren a Wibiodd Heibio!

Roedd y sêr yn disgleirio. Syllai'r dynion doeth arnyn nhw a gwenu ar ei gilydd.

'Dyna seren dlos!' meddai un o'r doethion.

'Edrychwch mor llachar yw honna!' meddai un arall.

'A'r un anferth – draw fan'na!' meddai'r trydydd. 'Dydw i erioed wedi sylwi ar un mor enfawr!'

Roedd y sêr yn disgleirio, a gwibiodd un seren heibio – wwsh!

'Welsoch chi honna?' sibrydodd un o'r doethion.

'Allet ti mo'i cholli!' meddai'r ail.

'Beth yw ei hystyr?' holodd y trydydd. Felly rhuthrodd y tri i astudio'u llyfrau arbennig.

Roedd y sêr yn disgleirio. A darllenodd y doethion eu llyfrau, gan chwilota a chrafu eu pennau. 'Nid daeargryn ydi o,' meddai un ohonyn nhw.

'Diolch byth!'

'Na llifogydd chwaith,' meddai'r ail.

A dyna pryd y dywedodd y trydydd, 'A-ha! Dyma ni! Rydw i wedi dod o hyd i'r ateb! Mae seren wib fel honna'n arwydd i ni fod brenin newydd wedi dod i'r byd!'

'Ond ble?' gofynnodd y ddau arall.

'Does dim modd dweud,' meddai, 'oni bai ein bod yn dilyn y seren i weld lle bydd yn aros.'

'I ffwrdd â ni!' meddai un o'r doethion gan wisgo'i het.

'Syniad da,' meddai'r ail gan wisgo'i gôt laes.

'Bydd raid cael rhywun i ofalu am y gath,' meddai'r trydydd, 'ond fe hoffwn i ddod gyda chi hefyd.'

Ac felly, casglodd y doethion eu gweision a llwytho'u camelod. Ac wrth i'r sêr ddisgleirio fry uwchben, dechreuodd y tri ddilyn y seren arbennig – y seren a aeth 'wwsh'!

Taith y Doethion

Gwibiai'r seren i'r chwith, yna gwibiai i'r dde. Saethai dros y bryniau a'r anialwch, dros afonydd a phen y mynyddoedd.

Ceisiodd y doethion wibio ar ei hôl. Ond roedd y bryniau'n serth, a'r anialwch yn boeth. Roedd yr afonydd yn ddwfn, a phen y mynyddoedd yn amhosib i'w dringo. Dyna pam gymerodd hi gymaint o amser iddyn nhw ddilyn y seren.

Buon nhw'n teithio am ddyddiau, am wythnosau a misoedd lawer, nes o'r diwedd arhosodd y seren lachar, a dyma nhw'n cyrraedd Jwdea, ar lan y Môr Mawr.

'Tir yr Iddewon ydi hwn,' meddai un o'r doethion.

'Mae'n rhaid mai eu brenin nhw ydi'r babi newydd,' meddai'r ail.

'Beth am i ni chwilio am y palas 'te,' awgrymodd y trydydd, 'a rhoi'r croeso mae'n ei haeddu iddo?'

Roedden nhw'n credu eu bod wedi trefnu'r cyfan, felly dyma fynd i gyfeiriad Jerwsalem a phalas y brenin. Ond heb iddyn nhw sylwi, roedd y seren wedi gwibio i gyfeiriad arall!

Holodd y doethion bawb.

'Rydyn ni wedi dod o'r Dwyrain,' medden nhw. 'Ac rydyn ni'n chwilio am frenin. Efallai y gallwch chi ein helpu i ddod o hyd iddo, brenin newydd yr Iddewon.'

Synnodd pawb o glywed y newyddion. A'r Brenin Herod yn fwy na neb.

'Brenin newydd? Beth ydi ystyr hynny?' gwaeddodd ar ei gynghorwyr. 'Fi ydi Brenin yr Iddewon!'

'Ie, ie, wrth gwrs!' meddai gwŷr y llys yn nerfus. 'Ond e-efallai eu b-bod yn chwil-chwilio am frenin arbennig – yr un a add-addawodd Duw i ni, flynyddoedd m-maith yn ôl.'

'A ble down nhw o hyd i'r fath frenin?' rhochiodd Herod.

'Ym Me-me-methlehem,' meddai gwŷr y llys. 'O leiaf, dyna ddywed y p-proffwydi.'

'Wela i,' poerodd Herod drwy ei ddannedd. Ac yna, dechreuodd ei lygaid ddisgleirio – disgleirio fel dwy seren dywyll. 'Anfonwch am y dynion doeth!' gorchmynnodd. 'Mae gen i gwestiwn i'w ofyn iddyn nhw.'

Daeth y doethion at y Brenin mor gyflym â phosib. Ac wedi i Herod anfon gwŷr y llys allan o'r stafell, trodd at y tri a sibrwd, 'Mae'r brenin rydych chi'n chwilio amdano yn nhref Bethlehem. Rydw i am i chi fynd yno – tydi o ddim yn bell oddi yma – ac wedi i chi ddod o hyd iddo, rydw i am i chi ddod yn ôl yma a rhoi gwybod i mi ble yn union mae o, er mwyn i mi hefyd gael ei anrhydeddu.'

Cytunodd y doethion a moesymgrymu. Diolchodd y tri i'r brenin, a mynd yn syth i Fethlehem. Ond doedden nhw ddim yn gwybod bod Herod yn frenin cas – brenin oedd am ladd pwy bynnag fyddai'n dwyn ei orsedd oddi arno – hyd yn oed babi bach ym Methlehem!

Anrhegion i Frenin

Pan ddaeth y doethion i Fethlehem, roedd y seren ddisglair eisoes yn aros amdanyn nhw. Ond doedd hi ddim yn gwibio erbyn hyn. Yn hytrach, roedd yn symud yn araf ac yn eu harwain ar hyd strydoedd cul y dref. Yna'n sydyn, arhosodd, a sefyll yn ei hunfan uwchben tŷ cyffredin iawn yr olwg.

'Mae'n rhaid mai dyma'r lle,' meddai un o'r doethion.

'Dydi hwn ddim yn edrych yn ddim byd tebyg i balas,' meddai'r ail.

'Wel, bydd yn rhaid i ni fynd i mewn i weld droson ni'n hunain,' meddai'r trydydd. A churodd y drws yn gwrtais.

Agorwyd y drws gan ŵr cyffredin yr olwg – edrychai mor gyffredin â'r tŷ roedd yn byw ynddo.

'Mae'n ddrwg gennym,' meddai un o'r doethion. 'Mae'n rhaid ein bod ni yn y lle anghywir.'

'Ddrwg gynnon ni darfu arnoch chi,' meddai'r ail.

'Ond beth am y seren ...?' sibrydodd y trydydd wrth y lleill. 'Mae'r seren yn union uwch ein pennau.' Ac yna trodd at ŵr y tŷ. 'Rydyn ni'n chwilio am frenin – Brenin newydd yr Iddewon. Tybed oes babi yma?'

Ar y gair, gwenodd y gŵr cyffredin yr olwg. Gwên ddirgel. Joseff oedd yn sefyll o'u blaenau.

'Oes, a dweud y gwir,' meddai. 'Mae Iesu bach bron yn flwydd oed bellach, ond dwi'n meddwl mai amdano fo rydych chi'n chwilio.'

Aeth y doethion i'r tŷ. Roedd y plentyn yn eistedd ar lin ei fam yn chwarae â'i llaw. O'i weld, fe wydden nhw eu bod yn y lle cywir.

Fesul un, ymgrymodd y dynion doeth o flaen y plentyn, a rhoi anrhegion iddo, anrhegion oedd wedi dod yr holl ffordd o'r Dwyrain. Nid y math o anrhegion mae pobl yn arfer eu rhoi i fabanod oedden nhw. Dim teganau swnllyd na blociau adeiladu na theganau meddal.

Na, anrhegion i frenin oedd y rhain.

Aur llachar, disglair.

Persawr drud o'r enw myrr.

Ac olew sawrus o'r enw thus.

Chwaraeodd y babi efo'r aur, a gafael yn dynn yn y potyn olew.

Ond pan fu bron iddo falu'r botel bersawr, gafaelodd ei fam ynddi.

'Diolch,' meddai wrth y doethion, 'roeddech chi'n garedig iawn yn dod yma.'

Safodd y doethion, ymgrymu a ffarwelio. Roedd yn rhy hwyr iddyn nhw fynd yn ôl i Jerwsalem, felly aethon nhw i osod eu pebyll ar gyrion y dref. Ond pan oedden nhw'n cysgu, cafodd y tri ohonyn nhw freuddwyd. Daeth ymwelydd atyn nhw, yn disgleirio'n llachar ac yn aur i gyd (yr angel prysur Gabriel, o bosib). Ac roedd gan yr ymwelydd neges.

'Mae'r Brenin Herod eisiau lladd y plentyn,' meddai. 'Peidiwch â mynd yn ôl ato. Ond ewch yn ôl i'ch cartrefi ar eich union. Ewch yn gyflym! Ac fe achubwch fywyd y baban.'

Cododd y doethion ar unwaith, plygu eu pebyll a llwytho'u camelod.

Gan rwbio'r cwsg o'u llygaid, dyma gychwyn tuag adref, â'r sêr yn disgleirio fel aur i oleuo eu taith.

Cynllun Erchyll Herod

Roedd y Brenin Herod yn flin.

Ysgyrnygodd ei ddannedd a chrychodd ei aeliau.

Roedd o'n wyllt gaclwm, yn gandryll, yn wallgof!

Yna bloeddiodd nerth esgyrn ei ben, 'MAE'R DOETHION WEDI MYND!'

'D-do, Eich Mawrhydi,' meddai gwŷr y llys. 'O leiaf, dyna yw'r s-si.'

'Ond roedden nhw i fod i ddychwelyd i'r llys! Roedden nhw i fod i ddweud wrtha i lle mae'r brenin newydd!'

'Fe wyddon ni ei fod o rywle ym Methlehem,' atebodd gwŷr y llys.

'Wrth gwrs ei fod o ym Methlehem!' gwaeddodd y brenin eto. 'Fel cannoedd o blant bach eraill ...' A'r eiliad y dywedodd hynny, newidiodd wyneb y brenin.

Doedd o ddim yn flin bellach.

Doedd o ddim yn ysgyrnygu'i ddannedd nac yn crychu'i aeliau.

Doedd o ddim yn wyllt gaclwm, nac yn gandryll nac yn wallgof.

Na, roedd cysgod gwên ar wyneb y Brenin Herod, gwên greulon a chas.

'Gadwch lonydd i mi!' gorchmynnodd. 'Ac anfonwch am gapten y milwyr.'

Roedd y wên yn dal ar wyneb Herod pan ddaeth y capten i mewn ac ymgrymu o'i flaen.

'Mae gen i waith i ti,' eglurodd y brenin. 'Rydw i am i ti fynd i Fethlehem a lladd ... lladd pob hogyn bach dan ddwyflwydd oed.'

Doedd dim gwên ar wyneb y capten.

Doedd o ddim yn crychu'i aeliau chwaith.

Safai yno'n stond, a'i wefusau'n dynn. Roedd syndod yn ei lygaid, fodd bynnag, gan mai dyma'r gorchymyn mwyaf erchyll iddo'i gael erioed.

'Gwna dy waith!' gorchmynnodd y brenin. 'Rwyt ti wedi cael y gorchymyn. Ac mae digon o bobl fyddai'n falch o gael dy swydd.'

Felly gadawodd y capten a galw ei filwyr ynghyd. Ac i ffwrdd â nhw i Fethlehem i ladd pob bachgen dan ddwyflwydd oed.

Cysgu'n sownd yr oedd Joseff. Roedd ganddo wên gysglyd braf ar ei wyneb. Ond trodd ei wên yn bryder pan ddaeth ymwelydd ato mewn breuddwyd.

Yr angel prysur Gabriel oedd yno unwaith eto. 'Cod, Joseff,' meddai. 'Cymer y plentyn a'i fam ac ewch i'r Aifft. Mae milwyr Herod ar y ffordd. Ac maen nhw am ladd y bachgen.'

Cododd Joseff ar unwaith. Deffrodd Mair a phacio popeth yn dawel. Yna cododd hithau Iesu, oedd yn cysgu'n drwm, ac i ffwrdd â nhw i'r nos.

Arhosodd y teulu yn yr Aifft nes i'r Brenin Herod farw. Yna, fe ddaethon nhw 'nôl i Nasareth, ac yno cafodd Iesu ei fagu – yn fab i saer, ond hefyd yn Fab arbennig i Dduw!

Storïau am Draddodiadau'r Nadolig

Dros y byd i gyd, mae pobl yn dathlu'r Nadolig mewn gwahanol ffyrdd, gan gadw traddodiadau a sefydlwyd ganrifoedd yn ôl. Dyma ddetholiad o'r storïau hynny – rhai hen a rhai newydd – sy'n dangos sut y dechreuodd rhai o'r traddodiadau Nadolig hyn.

Befana

Shwsh, shwsh, shwsh. Roedd hen wraig o'r enw Befana yn sgubo llawr ei thŷ.

Shwsh, shwsh, shwsh. Sgubodd y cypyrddau hefyd.

Shwsh, shwsh, shwsh. Sgubodd Befana'r baw i gyd, pob tamaid o lwch, pob briwsionyn bach.

Roedd tŷ'r hen wraig fel pìn mewn papur! A charreg y drws hefyd, a'r llwybr oedd yn arwain at y ffordd.

Sgubo oedd y cyfan a wnâi Befana. Dyna'r unig beth yr hoffai ei wneud. Ac felly, roedd braidd yn flin pan darfodd rhywun arni ben bore, a hithau ar ganol glanhau.

Bang! Bang! Bang! Curodd rhywun y drws. Agorodd Befana'r drws, a'r ysgub yn ei llaw. A'r hyn a welodd oedd tri dyn dieithr tal, blinedig yr olwg.

'Rydyn ni wedi teithio drwy'r nos,' meddai'r cyntaf ohonynt.

'Fe ddilynon ni'r seren,' eglurodd yr ail.

'Ac rydyn ni'n chwilio am rywle i orffwys,' crefodd y trydydd.

Edrychodd Befana ar y tri dyn. Roedden nhw'n gwisgo dillad crand iawn. Roedd yna berlau ar eu hetiau, ar eu dillad ac ar y cadwynau a grogai o amgylch eu gyddfau.

Efallai mai masnachwyr cyfoethog oedden nhw, neu ddewiniaid neu frenhinoedd. Doedden nhw ddim yn debyg o fod yn lladron. Ond beth am y glanhau? Wel, roedd hi wedi gorffen sgubo'r stafell wely beth bynnag. Nodiodd ei phen a'u croesawu i'r tŷ.

Dangosodd y stafell wely iddyn nhw, a phan agorodd Befana ddrws y stafell ychydig funudau'n ddiweddarach, gwelodd eu bod i gyd yn cysgu yn yr un gwely – a'r flanced wedi'i thynnu'n dynn dan farf y tri ohonyn nhw!

Ailgydiodd yr hen wraig yn y sgubo.

Shwsh, shwsh, shwsh. Sgubodd y gegin yn lân.

Shwsh, shwsh, shwsh. Sgubodd y stafell fyw hefyd.

Shwsh, shwsh, shwsh. Sgubodd garreg y drws a'r llwybr oedd yn arwain at y ffordd.

Ac wrth iddi sgubo, meddyliai iddi'i hun. 'O ble daethon nhw? I ble maen nhw'n mynd? A pham maen nhw'n cysgu a hithau'n gefn dydd golau?'

Felly pan ddeffrodd y tri dyn dieithr, gofynnodd iddyn nhw.

'Rydyn ni'n dod o'r Dwyrain,' meddai'r dyn cyntaf.

'Rydyn ni'n dilyn y seren,' meddai'r ail.

'Seren fydd yn ein harwain at Frenin y Brenhinoedd,' eglurodd y trydydd. 'Brenin sy'n ddim ond plentyn ar hyn o bryd.'

Yna, gwnaeth y tri dyn y cynnig mwyaf annisgwyl i Befana.

'Gan i chi fod mor garedig ...' dechreuodd y cyntaf.

'A rhoi lle i ni orffwys ...' aeth yr ail yn ei flaen.

'Fe hoffen ni i chi ddod gyda ni!' ychwanegodd y trydydd, 'i weld y brenin yma a rhoi anrhegion iddo!'

Roedd Befana wedi dychryn cymaint fel y bu bron iddi ollwng ei hysgub.

Am antur! meddyliodd. Dilyn seren i chwilio am frenin!

Ond yna edrychodd ar ei hysgub, ac o gwmpas y tŷ. Ac ni chymerodd fawr o amser iddi ddychmygu pa mor fudr fyddai popeth petai'n peidio glanhau, hyd yn oed am un diwrnod.

Felly ysgydwodd ei phen yn drist, a dweud, 'Dim diolch.' Cerddodd y tri dyn dieithr i ffwrdd i'r nos.

Aeth Befana i gysgu, ond tarfwyd ar ei breuddwydion gan luniau o ddieithriaid, sêr a brenhinoedd. Y bore wedyn, gafaelodd yn ei hysgub, yn ôl ei harfer, ond waeth pa mor galed yr ymdrechai, ni allai ganolbwyntio ar y gwaith glanhau.

Shwsh, shwsh, shwsh. Sgubodd y stafell fyw. Y cyfan oedd ar ei meddwl oedd gwahoddiad y tri dyn dieithr.

Shwsh, shwsh, shwsh. Sgubodd y stafell fwyta. Ond y cyfan oedd ar ei meddwl oedd seren wib.

Shwsh. Sgubodd garreg y drws. Y cyfan oedd ar ei meddwl oedd brenin bychan oedd yn byw, mewn tŷ tebyg i'w thŷ hi, â llwybr a grisiau fel ei rhai hi.

A dyna pryd y penderfynodd y byddai'n mynd gyda'r dieithriaid wedi'r cyfan. Felly, a'r ysgub yn ei llaw a'i ffedog yn llawn anrhegion bach, i ffwrdd â hi i lawr y ffordd.

Cerddodd a cherddodd. Chwiliodd a chwiliodd. Ond ddaeth Befana druan ddim o hyd i'r dynion dieithr. A dyna lle mae hi o hyd, yn crwydro'r priffyrdd a'r caeau, yn dal i gerdded, ag ysgub yn ei llaw a'i ffedog yn llawn anrhegion bach. A phob Nadolig, mae'n cerdded ar hyd pob llwybr, yn dringo pob gris, ac yn ymweld â phob tŷ. A phan ddaw o hyd i blentyn bach, mae'n gadael anrheg iddo. Oherwydd all hi byth fod yn siŵr pa un o'r plant bach hyn yw Brenin y Brenhinoedd.

43

Crefft y Brawd Ffroilan

Cerfiodd y Brawd Ffroilan fochyn bach. Cerfiodd hwyaden. Cerfiodd y Brawd Ffroilan gyw bach a chi a chath, a phan fyddai'n gorffen pob anifail, gwaeddai'r plant, 'Rhowch o i mi, y Brawd Ffroilan, rhowch o i mi!'

Roedd y Brawd Ffroilan yn hoffi gwneud y plant yn hapus. Ond doedd y Brawd Ffroilan ei hun ddim yn hapus iawn. Roedd wedi gadael ei gartref ac wedi dod i Sbaen rai misoedd ynghynt i ddweud wrth y bobl yno am Dduw. Ond doedd gan neb fawr o ddiddordeb. Cyn belled ag y gwelai, roedd arnyn nhw ormod o ofn eu duwiau eu hunain – gwynt, daear a thân – i gymryd llawer o sylw o'r Duw roedd o wedi dod i'w rannu â nhw, Duw Cariad.

Ac felly, byddai'n cerfio anifeiliaid bach, gan obeithio denu'r plant o leiaf – nes yn sydyn, un diwrnod o wanwyn, cafodd y Brawd Ffroilan syniad.

Mae yna anifeiliaid yn Stori'r Geni, meddyliodd. Roedden nhw yno pan aned Iesu, Mab Duw.

Felly, y bore hwnnw, dechreuodd y Brawd Ffroilan gerfio asyn bychan.

'Ar gyfer pwy mae'r asyn?' gofynnodd un o'r plant.

'Mair,' atebodd y Brawd Ffroilan.

'Does neb o'r enw Mair yma,' meddai plentyn arall, gan edrych o'i gwmpas.

'Falle ddim,' meddai'r Brawd Ffroilan, 'ond roedd yna unwaith ferch o'r enw Mair, oedd angen mynd i Fethlehem.'

'Bethlehem?' holodd plentyn arall, a dyna sut y dechreuodd y stori.

Drannoeth, cerfiodd y Brawd Ffroilan fuwch, a soniodd am y babi a aned mewn stabl.

Yna cerfiodd ddefaid, ac angel hefyd. Eisteddodd y plant yn ei ymyl, eu llygaid yn llawn rhyfeddod, wrth i'r mynach ddisgrifio'r ymwelwyr a ddaeth i lawr o'r nefoedd i roi'r newyddion da i'r bugeiliaid.

Wrth i'r gwanwyn droi yn haf, fe gerfiodd gamel. Ac yna un arall, ac un arall eto fyth! Eglurodd y Brawd Ffroilan sut y teithiodd rhai ar y camelod am filltiroedd lawer, gan ddilyn seren, dim ond er mwyn cael cip ar y plentyn arbennig hwn – plentyn a anfonwyd gan Dduw Cariad ei hun, i ddod â daioni a heddwch i'r byd.

Pan ddaeth y stori i ben, gwaeddodd y plant, fel mae plant drwy'r byd yn ei wneud, 'Eto! Eto! Dywedwch y stori yna eto!'

Ac felly cododd y Brawd Ffroilan ddarn o bren a dechrau cerfio asyn bach arall.

Erbyn i'r haf droi yn hydref lliwgar, crin, roedd wedi dweud y stori gymaint o weithiau nes bod llawr ei gaban bach yn llawn camelod a gwartheg ac asynnod pren. A sawl Mair a Joseff a dyn doeth hefyd.

Oedd, roedd y plant wedi gofyn lawer gwaith am gael un ohonyn nhw. Ond roedd y Brawd Ffroilan wedi cerfio rhywbeth arall iddyn nhw bob tro, ac wedi dweud yn ddirgel, 'Rydw i'n cadw'r rhain. Yn eu cadw ar gyfer yr amser pan fydd y byd yn oer ac yn dywyll.'

O'r diwedd, daeth yr amser hwnnw – adeg y Nadolig! Wrth bob croesffordd, fe osododd y Brawd Ffroilan stabl fach bren – ar foncyff coeden neu dwmpath bach. Llanwodd y stabl â'i ffigyrau bach pren, a phan fyddai pobl yn cerdded heibio, fe fydden nhw'n ceisio dyfalu ac yn gofyn, 'Tybed beth yw hwnna?'

Dyna pryd y byddai'r plant yn gwenu'n smala ac yn dweud, 'Dyma Mair, ac roedd yn rhaid iddi fynd i Fethlehem. Dyma'r asyn a'i cariodd yno. Dyma'r bugeiliaid a welodd yr angel, a dyma'r doethion a ddilynodd y seren. A draw acw, yn y preseb yn y canol, mae Mab Duw Cariad.'

A dyna sut y llwyddodd un mynach – gyda chyllell fechan ac ychydig o bren – i ddod â stori Iesu i Sbaen.

46

Niclas, yr Esgob Caredig

Doedd Niclas erioed wedi clywed stori mor drist. Bu'n esgob Myra ers sawl blwyddyn, yn dysgu ac yn arwain ac yn gofalu am Gristnogion y ddinas. Roedd wedi helpu'r bobl ar adegau digon anodd. Ond pan glywodd y stori am y tair merch ifanc – bu bron iddo dorri ei galon.

'Does gan eu tad ddim arian,' eglurodd eu cymydog wrth Niclas. 'Yr unig ffordd y gall ofalu am weddill ei deulu yw drwy werthu'r merched fel caethweision.'

'Caethweision?' ochneidiodd Niclas. 'Fedrwn ni ddim caniatáu i hynny ddigwydd.'

'Beth fedrwn ni ei wneud?' meddai'r cymydog. 'Does gen i ddim arian, na neb arall rydw i'n ei nabod. Pe byddai pobl eraill yn dod i wybod am hyn, byddai gan y tad gywilydd. Fe wnaeth imi addo na fyddwn i'n dweud wrth neb, a dim ond er mwyn achub y merched rydw i wedi torri fy addewid.'

'Dwi'n deall,' meddai Niclas. 'Gadwch y mater efo mi, ac mi wna i weld beth sy'n bosib.'

Aeth yr Esgob Niclas adref ar hyd y ffordd hir y noson honno. Cerddodd yn araf drwy'r strydoedd cul. Cyfarchodd pobl ef yn garedig,

'Helô, Esgob Niclas!' 'Sut ydych chi, Esgob Niclas?' Ond yn lle'r wên arferol, y cyfan gawson nhw oedd nòd bonheddig. Doedd yr esgob ddim eisiau siarad.

Pan gyrhaeddodd adref, roedd wedi cael digon o amser i feddwl. Daeth yn amser gwneud rhywbeth. A gwyddai'r Esgob Niclas yn union beth ddylai ei wneud. Agorodd focs – bocs arian arbennig iawn roedd wedi'i guddio dan y llawr – ac estyn pob darn arian allan ohono.

Dyna'r cyfan oedd yn weddill o ffortiwn ei deulu – ffortiwn roedd Niclas wedi'i rhannu, fesul tipyn, flwyddyn ar ôl blwyddyn, i drigolion anghenus Myra. Doedd dim llawer ar ôl bellach, dim ond digon, gobeithiai, i atal y merched rhag cael eu gwerthu fel caethweision. Sut gallai roi'r arian i'r tad heb iddo ddeall bod Niclas wedi clywed am ei gyfrinach?

Tair merch. Tri phentwr.

Tri phentwr. Tri bag ...

Wrth gwrs! Roedd Niclas wedi cael syniad!

Rhoddodd bob pentwr mewn bag bach lledr a'i glymu. Yna, arhosodd iddi dywyllu, nes ei bod mor dywyll fel na fyddai neb ar y strydoedd. Ac yna, â'r tri bag dan ei glogyn, cerddodd yn ôl drwy'r dref.

Chwarddai Niclas wrtho'i hun wrth gerdded. Roedd hwn yn syniad gwych! Cyn hir, daeth at dŷ'r merched. Doedd dim golau yno. Cysgai pawb yn drwm. Felly aeth yr Esgob Niclas ymlaen â'i gynllun. Tynnodd y bagiau o'i glogyn, a'u lluchio – un, dau, tri – drwy'r ffenest agored. Yna, chwarddodd yn ddireidus, a brysio 'nôl i'w dŷ.

Pan ddeffrodd y teulu y bore wedyn, daethon nhw o hyd i dri bag ar y llawr. O ble daethon nhw? Pwy oedd wedi'u rhoi yno? A beth oedd ynddyn nhw? Wyddai neb yr ateb i'r ddau gwestiwn cyntaf, ond pan fynnodd y merched agor y bagiau, fe gawson nhw yr ateb i'r trydydd cwestiwn.

'Clod i Dduw!' bloeddiodd y tad. 'Atebwyd ein gweddïau! Caiff ein teulu aros gyda'i gilydd!'

Does neb yn gwybod sut datgelwyd y gwir. Efallai mai'r cymydog agorodd ei geg. Neu efallai mai rhywun arall a wnaeth – rhywun a welodd yr Esgob yn lluchio'i anrhegion drwy'r ffenest.

Ond daeth Niclas yn enwog oherwydd y cariad a ddangosodd tuag at y merched yma. Lledodd y storïau amdano dros y byd i gyd, a blynyddoedd lawer wedi iddo farw, cafodd ei wneud yn sant. Yna, rywfodd, cysylltwyd ei enw â chymeriad dirgel arall oedd yn teithio ganol nos – dyn rhadlon, caredig sy'n gadael anrhegion wrth droed gwelyau plant, ac yna'n dianc i'r tywyllwch!

Y Camel Lleiaf Un

'Tyrd yn dy flaen!' meddai'r Camel Mawr Brown yn flin. 'Traed 'dani neu ddaliwn ni mohonyn nhw!'

'Mae o'n mynd mor gyflym ag y medrith o!' atebodd Mami Camel. 'Mae o'n gwneud ei orau glas.'

Ond ddywedodd y Camel Lleiaf Un 'run gair. Roedd o'n rhy brysur yn cerddded. I fyny ac i lawr y twyni tywod. Dros y mynyddoedd ac ar draws yr anialwch caregog.

Doedd o ddim wedi gwneud dim byd heblaw cerdded ers wythnosau. A phan gâi orffwys, byddai'n cysgu – yn drwm a diolchgar – wrth ochr ei fam.

'Ddylai o ddim bod yma hyd yn oed!' cwynodd y Camel Mawr Brown, gan boeri ar y llwybr tywodlyd. 'Mae o'n rhy fach i gario dim byd. Ac mae o'n symud fel malwen.'

'Nid ei fai o ydi hynny!' meddai Mami Camel. 'Gyrrwr y camelod wnaeth gamgymeriad. Fo ddewisodd fi yn y farchnad, ond welodd o mo 'mhlentyn i wrth fy ochr. Ac erbyn inni gyrraedd yr anialwch, ac iddo sylwi, wel – roedd hi'n rhy hwyr i droi 'nôl.'

'Wel, tydw i ddim am gael fy ngadael ar ôl, mae hynny'n bendant!' cwynodd y Camel Mawr Brown.

Ond ddywedodd y Camel Lleiaf Un ddim gair o'i ben. Roedd o'n rhy brysur yn cerdded – un cam, dau gam, tri cham a phedwar. Un a dau a thri a phedwar ...

Yna, gwaeddodd rhywun. 'Mae'r seren wedi aros! Edrychwch, dyna'r dref.'

'Fyddwn ni ddim yn hir iawn, cariad,' meddai Mami Camel. A gwenodd y Camel Lleiaf Un. Roedd yn dyheu am gael gorffwys i'w goesau bach blinedig. Ond wrth iddyn nhw nesáu at y dref, dechreuodd pawb gyflymu gan fod y dynion ar y blaen yn awyddus i gyrraedd pen eu taith. Dyma nhw'n troi'r gornel ar un o strydoedd cul Bethlehem, a dyna pryd y baglodd y Camel Lleiaf Un a syrthio i'r llawr.

Camodd y Camel Mawr Brown drosto. 'Dydw i ddim yn aros amdanat ti!' cwynodd. Ac er bod Mami Camel wedi troi a cheisio aros amdano, roedd gyrrwr y camelod ar gymaint o frys nes iddo'i chwipio a gwneud iddi fynd yn ôl i'w lle.

Cododd y Camel Lleiaf Un, un goes esgyrnog ar ôl y llall. Yna rhedodd mor gyflym ag y gallai ar ei goesau main, i ymuno â'i fam a gweddill y criw. Fe'u dilynodd drwy'r strydoedd cul, ond roedd gwastad ychydig ar ôl pawb arall.

Ond pan stopiodd pawb arall o'r diwedd – o flaen stabl blaen yr olwg – ni allai'r Camel Lleiaf Un arafu! Ac felly, baglodd a syrthio unwaith yn rhagor – heibio'r camelod a'r gweision a'r tri dyn crand â'r trysorau llachar – a glanio'n bendramwnwgl wrth droed y preseb pren.

Ysgydwodd y Camel Lleiaf Un ei ben, ac yna agorodd ei lygaid. Roedd wyneb yn wyneb â babi!

Chwarddodd y babi a mwytho trwyn y camel!

A dyna pryd y clywodd y camel y geiriau: 'Da iawn ti, gamel bach. Fe deithiaist yn bell i weld fy Mab. Felly o hyn ymlaen, camel fydd yn dod ag anrhegion i blant y wlad hon.'

Dyna pam, hyd y dydd heddiw, mae plant y Dwyrain Canol yn cael eu hanrhegion Nadolig oddi ar gefn camel – camel bach – yn union fel yr un ddaeth â chymaint o hapusrwydd i'r plentyn yn y preseb.

51

Taith Wenseslas Drwy'r Eira

Drannoeth y Nadolig oedd hi – Gŵyl San Steffan – ac roedd Wenseslas, brenin Bohemia, yn edrych drwy ffenest ei balas. Roedd tân mawr yn llosgi yn y grât y tu ôl iddo. Roedd wedi cael llond ei fol o fwyd. Ac roedd ei galon yn llawn o lawenydd y tymor!

Ac yna, gwelodd y Brenin Wenseslas rywbeth yn symud allan yn y caeau, yng nghanol yr eira. Ai anifail gwyllt neu gi strae oedd yno? Ond pan edrychodd yn fwy gofalus, sylweddolodd Wenseslas mai dyn oedd o!

Galwodd ar un o'i weision.

'Pwy ydi hwnna?' gofynnodd, a phwyntio drwy'r ffenest.

Syllodd y gwas bach drwy'r ffenest ar y siâp yn yr eira.

52

'Rhyw hen ddyn tlawd,' meddai. 'Fladimir o bosib. Chwilio am goed tân mae o, mae'n debyg.'

Craffodd Wenseslas ar y dyn, a sylwi ar y storm tu allan a'r gwynt rhewllyd. Yna meddyliodd am yr holl gyfoeth oedd ganddo wedi'i storio o fewn waliau'r palas.

'Ble mae o'n byw?' gofynnodd y brenin.

'Os mai Fladimir ydi o, mae'n byw ymhell oddi yma, wrth droed y mynydd,' atebodd y gwas. 'Pam ydych chi'n gofyn?'

'Am ein bod yn mynd i'w helpu!' meddai'r brenin yn sydyn. 'Tyrd â bwyd yma, tyrd â gwin! A choed tân!' gorchmynnodd. 'Rydyn ni am ei ddilyn adref!'

'Ond beth am eich gwesteion?' meddai'r gwas. 'A dathliadau'r Nadolig?'

'Sut medra i ddathlu?' meddai'r brenin yn drist, 'pan na all y dyn tlawd yna gadw'n gynnes hyd yn oed? Bwyd! Gwin! Coed tân!' meddai eto. A phan oedd gorchymyn y brenin mor bendant â hynny, doedd wiw i'r gwas dynnu'n groes.

I ffwrdd â nhw drwy'r lluwchfeydd eira – y brenin a'i was ochr yn ochr, a'u breichiau'n llawn anrhegion. Cwynai'r gwynt, disgynnai'r eira'n drwch, ac roedd cartref y dyn tlawd ymhell o'r golwg. Ymhen hir a hwyr, arafodd camau'r gwas; roedd wedi blino'n lân.

'Eich Mawrhydi!' bloeddiodd drwy'r gwynt. 'Dydw i ddim yn meddwl y galla i fynd lawer pellach. Rydw i wedi ymlâdd, ac mae fy nhraed wedi rhewi'n gorn!'

Arhosodd y Brenin Wenseslas i feddwl. Roedd eisiau helpu'r dyn tlawd. Ond doedd hi ddim yn werth mentro bywyd y gwas ifanc. Roedd ar fin ei anfon yn ôl i'r palas pan gafodd syniad gwell.

'Cerdda'r tu ôl i mi, fachgen,' meddai'n garedig. 'Rho dy draed di yn fy ôl traed i, inni gael gweld a fydd hynny'n well.'

A dyna wnaethon nhw. A phan roddodd y gwas ei draed yn ôl traed ei feistr, roedd fel petai'r ddaear oddi tano yn gynhesach – wedi'i chynhesu gan gamau'r brenin! Roedd hi'n llawer haws cerdded yn yr eira. Ac ymhen tipyn, daeth tŷ'r hen ŵr tlawd i'r golwg. Allai Fladimir druan ddim credu ei lygaid pan welodd y brenin yn dod at ei ddrws. A chafodd fwy o sioc pan welodd y danteithion a ddaeth gydag o. Meddai'r brenin mewn llais dwfn, 'Bwyd! Gwin! Coed tân! A Nadolig Llawen!'

Lledodd y stori am y Brenin Wenseslas a'i daith drwy'r eira (efallai mai'r gwas oedd y cyntaf i'w hadrodd), a sawl blwyddyn wedi hynny, trowyd y stori yn garol boblogaidd sy'n dal i gael ei chanu bob Nadolig hyd y dydd heddiw.

Wenseslas y brenin da
Ddydd o aeaf caled,
Welai o'i ystafell glyd
Oeraidd eira'n garped.
Ac yng ngolau'r lleuad glir
Draw ar gwr y mynydd,
Gwelodd druan gwael ei fyd
Wrthi'n casglu tanwydd.

"Tyred was, ac edrych draw,
Ateb fi, os gelli,
Pwy yw'r gwladwr tlodiadd hwn
Sy'n y rhew yn rhynnu?"
"Syr, mae'r gŵr yn byw ymhell,
Er mor arw'r tywydd,
Crwydro wnaeth i chwilio coed
O'r tu hwnt i'r mynydd."

"Dos i gyrchu bwyd a gwin,
Tyrd â thanwydd yma,
Awn â hwy i'w fwthyn llwm,
Awn i'w weld yn gwledda."
Gwas a brenin, ffwrdd â hwy,
Ffwrdd yng nghwmni'i gilydd,
Ac ni hidient am y gwynt
Nac am lach y stormydd.

Ac yng nghamrau'r meistir aeth
Dros y llwybyr caled,
Ond ni rewai'r eira mwy
Lle bu'r sant yn cerdded.
Gristion annwyl, cofia hyn,
Ôl dy draed a wylir,
Wrth roi bendith fach i'r tlawd,
Tithai a fendithir.

cyf. D Jacob Davies, 1916-1974

55

Sanau Terwyn

Ymhell bell yn ôl, yng nghanol y mynyddoedd, roedd tri bachgen yn byw: Berwyn, Gerwyn a Terwyn. Brodyr oedd y tri, ac roedden nhw'n byw gyda'u mam mewn bwthyn bach tlawd.

Berwyn oedd yr hynaf – a'r un doethaf hefyd. Gerwyn oedd y cryfaf o bell ffordd. A Terwyn? Wel, roedd ganddo wên glên a chalon fawr, dywedai pawb hynny, ond roedd o'n gwneud pethau dwl weithiau. Oherwydd hynny, byddai ei frodyr hŷn yn chwarae triciau arno o hyd.

Noswyl Nadolig, a'r brodyr yn eistedd o flaen y tân, trodd Berwyn at Terwyn a dweud, 'Mae Siôn Corn yn dod heno!'

'Ydi,' meddai Terwyn gan wenu.

'A bydd yn dod ag anrhegion i ni,' meddai Berwyn wedyn.

'Bydd,' meddai Terwyn a gwenu eto.

Yna trodd Berwyn at Gerwyn a rhoi winc ddireidus arno. 'Bydd yn dod lawr y simdde yma, Terwyn,' meddai, 'ac os na wnaiff rhywun rywbeth am y tân, bydd yr hen Siôn Corn yn glanio ar ben y fflamau!'

Diflannodd y wên oddi ar wyneb Terwyn. 'O, na!' gwaeddodd. A gan fod ganddo galon dda, gafaelodd mewn bwcedaid o ddŵr a'i luchio ar y tân.

Diffoddodd y tân ar unwaith, a thaflu cwmwl o fwg du a lanwodd y stafell. Roedd brodyr Terwyn yn chwerthin dros y tŷ. Dyna pryd y cerddodd eu mam i mewn i'r stafell.

'Terwyn!' bloeddiodd. 'Beth ar y ddaear wyt ti wedi'i wneud?'

Safai Terwyn yno, yn huddyg o'i gorun i'w sawdl.

'Lle tân ... achub ... Siôn Corn,' ceisiodd egluro, ond torrodd ei frodyr ar ei draws.

'Fe luchiodd fwcedaid o ddŵr i ddiffodd y tân,' meddai Berwyn.

'Mae o'n gwneud pethau dwl weithiau,' meddai Gerwyn.

Gafaelodd eu mam mewn ysgub a rhedeg i fyny'r grisiau ar ôl Terwyn.

'Tynna'r dillad budr yna!' bloeddiodd yn flin. 'Dydw i ddim eisiau dy weld di eto heno 'ma, felly fe gei di aros yn dy stafell tan y bore!' Aeth i lawr y grisiau ac ailgynnau'r tân.

Tynnodd Terwyn ei ddillad budr a mynd i'w wely. Eiliad yn ddiweddarach, roedd rhywun yn curo ar y drws. Gerwyn oedd yno.

'Terwyn,' meddai'n dawel drwy dwll y clo. 'Mae Siôn Corn yn dod heno.'

'Ydi,' meddai Terwyn gan ochneidio.

'Ac fe fydd yn dod ag anrhegion i ni,' meddai Gerwyn wedyn.

'Bydd,' meddai Terwyn, yn swnio dipyn bach yn hapusach.

Yna, winciodd Gerwyn ar Berwyn, oedd yn eistedd yn dawel wrth ei ochr.

'Ond fydd Siôn Corn ddim yn gallu dod o hyd i ni,' eglurodd Gerwyn, 'oni bai fod rhywun y tu allan i'r tŷ yn codi llaw arno.'

'O na!' gwaeddodd Terwyn, a'i galon garedig yn curo'n gyflym. A gan anghofio'n llwyr am orchymyn ei fam, rhuthrodd o'i stafell, i lawr y grisiau, ac allan drwy ddrws y ffrynt!

Roedd mam Terwyn yn y gegin, yn gorffen addurno'i chacen Nadolig. Felly welodd hi mo Terwyn yn rhuthro heibio. Wyddai hi ddim byd nes i Berwyn ddweud wrthi'n dawel, 'Mam, mae Terwyn wrthi eto. Edrychwch arno.' Ac agorodd y llenni er mwyn iddi weld Terwyn y tu allan.

Roedd Terwyn yn chwifio'i ddwylo – ar yr awyr – a dim byd amdano ond ei wisg nos a hen bâr o sanau.

57

'Mae o'n gwneud pethau dwl weithiau,' meddai Gerwyn. Ond roedd y fam flin eisoes wedi agor y drws ffrynt led y pen.

'Terwyn!' gwaeddodd, gan ysgwyd ei hysgub. 'Terwyn, tyrd yma'r munud yma!' Fe'i lapiodd mewn blanced fawr a thynnu ei sanau gwlyb oddi ar ei draed. Gwnaeth iddo eistedd o flaen y tân. Ac yna, fe'i ceryddodd eto.

'Pan fyddi di'n sych,' meddai'n flin, 'fe fyddi di'n mynd i dy stafell ac yn aros yno – heno a fory hefyd!'

'Ond mae'n ddiwrnod Dolig fory!' llefodd Terwyn.

'Ar gyfer hogiau da mae'r Nadolig,' meddai ei fam. 'Bechgyn ufudd sy'n gwrando ar eu rhieni. Bechgyn fel dy frodyr!' Yna, mewn tymer ddrwg, aeth 'nôl i'r gegin.

Doedd Terwyn erioed wedi teimlo mor anhapus. Ond doedd hynny ddim yn atal ei frodyr rhag ceisio'i wneud yn fwy digalon fyth!

'Terwyn,' meddai Berwyn, 'mae dy sanau di'n wlyb domen dail.'

'Terwyn,' meddai Gerwyn, 'fe wnawn ni eu sychu.' Rhoddodd y sanau i hongian uwchben y lle tân.

'Na!' gwaeddodd Terwyn. 'Os bydd fy sanau'n llosgi, wnaiff Mam byth adael i mi ddod allan o'm stafell!'

'Dydyn ni ddim am i hynny ddigwydd,' meddai Berwyn, gan afael mewn morthwyl.

'Ddim o gwbl,' cytunodd Gerwyn, gan dynnu hoelion o'i boced.

'O, dwi'n gweld,' meddai Terwyn gan wenu. 'Os hoeliaf fy sanau uwchben y lle tân, wnân nhw ddim llosgi! Rydych chi'n fechgyn mor graff!' Ac ar y gair, gafaelodd yn y morthwyl a hoelio'i sanau i'r silff ben tân.

Wrth gwrs, clywodd mam Terwyn sŵn y curo. Ac mewn dim o dro, roedd yr ysgub yn gyrru Terwyn 'nôl i'w stafell unwaith yn rhagor.

'A phaid â dod allan tan Nos Galan!' gwaeddodd ei fam nerth esgyrn ei phen, tra oedd Berwyn a Gerwyn yn eu dyblau'n chwerthin.

Y bore wedyn, wrth i Terwyn aros yn amyneddgar yn ei stafell, aeth gweddill y teulu i lawr y grisiau i weld beth oedd Siôn Corn wedi'i roi iddyn nhw. Dan y goeden Nadolig druenus, lle arferai'r anrhegion gael eu gadael, doedd yna ddim byd o gwbl. Ond roedd y sanau wrth y lle tân yn orlawn.

'Fi'n gyntaf!' gwaeddodd Berwyn.

'Na, fi!' taerodd Gerwyn.

'Arhoswch funud!' meddai eu mam, yn chwifio'r ysgub. 'Mae nodyn wedi'i glymu wrth y sanau. A nodyn i fi ydi o.'

'Annwyl Fam,' meddai'r nodyn. 'Y ddau fab yna sydd gennych, Berwyn a Gerwyn, sy'n gyfrifol am yr holl drafferth gawsoch chi neithiwr. Chwarae triciau ar Terwyn wnaethon nhw (mae o'n gwneud pethau dwl weithiau). Ond mae ganddo galon garedig, a dyna pam mai iddo fo mae'r holl anrhegion sydd wedi'u gwthio i'r sanau uwchben y tân! Diolch am y gacen Nadolig gyda llaw. Eich cyfaill, Siôn Corn.'

Wel, cyn gynted ag y rhoddodd Mam y nodyn o'r neilltu, chwifiodd yr ysgub yn yr awyr. Rhedodd ar ôl y bechgyn drwg, i fyny un ochr i'r mynydd ac i lawr y llall.

Ac felly, bob Nadolig wedi hynny, mae Terwyn yn hoelio'i hen sanau uwchben y tân. Ac mae ei frodyr yn gwneud hynny hefyd. A'u mam. Ac, er ei fod yn ymddangos yn arferiad gwirion, mae rhai pobl yn dal i wneud hynny!

59

Blodyn Nadolig

Roedd pawb yn cerdded i'r eglwys, pawb yn y dref fechan ym Mecsico. Roedd eu breichiau'n orlawn o anrhegion – ffrwythau a llysiau a melysion – oherwydd roedd hi'n noswyl Nadolig, ac roedd disgwyl i bawb fynd ag anrheg i'r baban Iesu.

Gwyliai Manuel y bobl yn cerdded heibio, yn chwerthin ac yn canu. Gwyliodd nhw'n rhannu eu cynnwrf a'u hwyl. Ond y cyfan y gallai ei wneud oedd sychu'r dagrau o'i wyneb budr, oherwydd plentyn y stryd oedd Manuel, bachgen amddifad heb ddim byd o gwbl i'w roi.

Roedd o wedi ceisio cardota am rywbeth, ond roedd pobl wedi chwerthin am ei ben.

'Rhywbeth ar gyfer y baban Iesu?' medden nhw'n annifyr. 'Gad dy gelwydd. Dim ond ei gadw i ti dy hun fyddet ti!'

Roedd hyd yn oed wedi ystyried dwyn rhywbeth. Ond dwyn? I'w roi i'r baban Iesu? Byddai hynny'n waeth na pheidio â mynd ag unrhyw beth o gwbl.

Felly penderfynodd gadw draw. Wedi i'r bobl fynd i mewn i'r eglwys ac i'r drysau gael eu cau ar eu holau, sleifiodd Manuel at ffenest agored a sbecian drwyddi.

Roedd popeth mor hardd – y canhwyllau, yr addurniadau a'r anrhegion! Roedd yna gannoedd ohonyn nhw, wedi'u gosod o amgylch y cerflun o'r baban Iesu a'i fam.

Ond wrth iddo wylio, teimlai Manuel yn drist iawn, nes o'r diwedd aeth ar ei liniau a dechrau gweddïo: 'Annwyl Faban Iesu. Dydw i ddim fel pobl yr eglwys hon. Does gen i ddim i'w roi i ti ar noswyl Nadolig. Felly, y cyfan sydd gen i i'w gynnig yw fy ngweddi. Derbyn hi, a'm dagrau hefyd. Oherwydd dyma'r cyfan sydd gen i i'w roi.'

Sychodd Manuel ei ddagrau eto. Yna agorodd ei lygaid. Ac yno, lle disgynnodd ei ddagrau, roedd blodyn yn tyfu, blodyn nad oedd yno cynt. Roedd y blodyn mor llachar â'r seren fu'n disgleirio uwchben Bethlehem. A'i ddail mor goch â gwaed!

'Mae'n wyrth!' gwaeddodd Manuel, gan afael yn y blodyn a rhedeg i mewn i'r eglwys.

'Edrychwch!' gwaeddodd, wrth redeg at yr allor. 'Edrychwch, mae gen i anrheg i'r baban Iesu hefyd!'

Sibrydodd rhai o'r bobl wrth ei gilydd a thwt-twtian. Doedden nhw ddim yn hapus fod rhywun wedi tarfu ar y gwasanaeth. Ond pan welson nhw'r blodyn, roedden nhw wedi rhyfeddu.

'Ie, gwyrth yn wir,' cytunodd yr offeiriad. 'Dydw i erioed wedi gweld blodyn tebyg i hwn!'

A dyna sut y cafodd *poinsettia* Manuel yr enw 'Blodyn y Noson Sanctaidd'!

Y Goeden Nadolig Gyntaf

Roedd Boniface yn cerdded drwy'r goedwig. Tymor y gaeaf oedd hi, ac roedd hi'n oer. Ond er bod Boniface yn awyddus i gael diod poeth ac eistedd o flaen tân cysurus, daliodd ati i gerdded. Ei waith oedd teithio o un pen o Loegr i'r llall, yn sôn wrth bobl am Iesu. Yna, clywodd Boniface sŵn crio. Cri plentyn ydoedd, cri yn llawn ofn. Felly dechreuodd Boniface redeg. Rhedodd yn gynt na'r gwynt. Torrai'r brigau groen ei wyneb. Roedd ei sandalau'n llawn eira. Ond gwyddai ei fod yn nesáu at y plentyn oherwydd roedd ei gri i'w chlywed yn gryfach.

O'r diwedd, daeth Boniface at le gwag yn y goedwig. Yno, wrth droed y dderwen, roedd criw o ddynion, ac roedd y plentyn yn crio yn eu canol.

'Peidiwch!' gwaeddodd Boniface. 'Stopiwch beth rydych chi'n ei wneud ar unwaith!'

Trodd y dynion i'w wynebu. Roedd patrymau dychrynllyd wedi'u peintio ar eu hwynebau ac roedd arf gan bob un ohonyn nhw.

'Ewch oddi yma!' gwaeddodd un arno. 'Does a wnelo hyn ddim oll â chi!'

'Dydi hynny ddim yn wir!' atebodd Boniface. 'Rydw i'n gweld o'ch gwisg a'ch golwg mai Derwyddon ydych chi. Ac rydw i'n gwybod eich bod chi'n bwriadu lladd y bachgen a'i gynnig yn aberth i un o'ch duwiau coed.'

'Dyna orchymyn duw'r deri!' meddai un o'r Derwyddon. 'Ac rydym yma i'w wasanaethu.'

'Mae gen i Dduw arall!' dadleuodd Boniface. 'Duw sydd ddim yn cytuno efo aberthu plant.' Ac ar y gair, gafaelodd mewn bwyell a dechrau torri gwaelod y dderwen. Ceisiodd un o'r Derwyddon ei atal, ond cafodd ei rwystro gan yr arweinydd.

'Aros,' meddai'n slei. 'Fe wnaiff duw'r deri ddial arno'n ddigon buan!'

Bu Boniface yn taro ac yn taro efo'r fwyell, nes i'r dderwen gael ei thorri. Ac wrth iddi ddisgyn i'r ddaear, dechreuodd y Derwyddon grynu gan ofn.

'Dydw i ddim yn deall y peth o gwbl,' meddai'r arweinydd. 'Wnaeth duw'r deri ddim byd i'w warchod ei hun – nac i'ch cosbi chi!'

'Mae rheswm syml am hynny, does yna ddim y fath dduw!' eglurodd Boniface. 'Dim ond un Duw sydd yn bod – y Duw a wnaeth y coed a phopeth arall ar y ddaear hon. Duw sydd ddim am inni aberthu ein meibion. Mae eisoes wedi aberthu ei Fab ei hun, Iesu – wedi'i aberthu ar goeden – er mwyn cael gwared ar bopeth drwg yn y byd hwn.'

'Wnaeth o aberthu ei fab ei hun?' gofynnodd arweinydd y Derwyddon yn syn.

'Do,' atebodd Boniface. 'Ac yn fwy na hynny, daeth â'i Fab yn ôl yn fyw, fel ein bod ni'n gallu byw am byth hefyd!'

Ac yna, pwyntiodd Boniface at goeden arbennig. Nid at y dderwen ar y llawr, ond at goeden fytholwyrdd. 'Os ydych am gofio pa Dduw rydw i'n ei addoli,' meddai Boniface, 'gallech ddefnyddio'r goeden yna, yr un nad yw byth yn marw. Addurnwch hi, defnyddiwch hi i ddathlu geni Iesu, mab Duw, a fydd yn byw am byth!'

Felly dyna wnaeth y Derwyddon. Ac mae rhai pobl yn dweud mai honno oedd y goeden Nadolig gyntaf un!

Pibonwy

Cerddodd y tri drwy'r goedwig – Joseff, Mair a'r plentyn Iesu.

Roedd y Brenin Herod wedi marw. O'r diwedd, roedden nhw'n ddiogel. Ac felly, roedden nhw'n mynd adref – yr holl ffordd o'r Aifft i Nasareth.

Roedd y dyddiau'n heulog. Yn rhy heulog weithiau. Felly fe fydden nhw'n gorffwys pan fedren nhw, ar ôl dod o hyd i gysgod. Ond roedd y nosweithiau'n oer, yn enwedig pan oedden nhw ar y bryniau. A'r noson hon oedd yr oeraf un eto!

Edrychodd y coed i lawr arnyn nhw ac ysgwyd eu canghennau noeth.

'Fe fyddan nhw'n siŵr o rewi i farwolaeth!' meddai'r goeden gedrwydd.

'Bydd yn rhaid iddyn nhw chwilio am gysgod,' meddai'r fedwen.

'Ac edrychwch ar y bachgen bach,' meddai'r binwydden yn drist. 'Mae o mor oer nes ei fod o'n crynu.'

'Ond beth fedrwn ni ei wneud?' gofynnodd y goeden gedrwydd. 'Mae fy nghanghennau'n noeth. Mae'r gwynt yn chwythu'n syth drwyddyn nhw.'

'Dydi fy rhai i ddim mymryn gwell,' meddai'r fedwen.

Yna, trodd y ddwy tuag at y binwydden.

'Wrth gwrs,' gwaeddodd. 'Pam na feddyliais i am y peth?' A dechreuodd ysgwyd ei changhennau trwchus ar unwaith – mor galed a swnllyd fel na allai Mair a Joseff beidio sylwi arni.

'Edrych!' meddai Joseff. 'Coeden binwydd! Os swatiwn ni efo'n gilydd dan y canghennau, falle gallwn ni osgoi'r gwynt a chadw'n gynnes drwy'r nos.'

Cytunodd Mair. Ond y cyfan wnaeth Iesu oedd crynu. Felly aeth y tri dan y canghennau pigog a lapio'u hunain mewn blancedi.

Chwythodd y gwynt. Trodd y nos yn oer a rhewllyd. Dechreuodd bluo eira. Ond drwy'r cyfan, cysgodd Joseff, Mair ac Iesu yn ddiogel a chynnes tan y bore.

'Maen nhw'n dal yn fyw!' meddai'r goeden gedrwydd wrth y binwydden.

'Dwi'n meddwl eich bod wedi achub eu bywydau!' meddai'r fedwen.

Ac yna clywodd y binwydden lais arall – cân hapus angel oedd yn hedfan heibio.

'Da iawn, binwydden!' canodd yr angel. 'Mae eich canghennau cynnes wedi cysgodi Mab Duw ei hun!'

Allai'r binwydden ddim credu'r peth. Ac yn ei chynnwrf, dechreuodd grio dagrau o hapusrwydd, dagrau o orfoledd! Disgynnodd y dagrau a phowlio i lawr y canghennau trwchus. Ac wrth iddyn nhw ddisgyn, roedden nhw'n rhewi – yn rhewi'n ddarnau hir rhewllyd, yr holl ffordd i'r ddaear.

Pan ddeffrodd Mair, Joseff ac Iesu y bore wedyn, daethon nhw allan o'u cysgodfan dan y goeden. A dotiodd Iesu at yr hyn a welodd.

'Edrychwch!' gwaeddodd. 'Edrychwch ar y pibonwy hardd.'

Ac roedden nhw'n werth eu gweld, yn disgleirio fel perlau yn haul y bore.

Ac efallai mai dyna pam mae rhai pobl yn dal i addurno'u coed Nadolig â phibonwy – i gofio'r goeden garedig honno, a'i dagrau rhew hardd.

Y Tinsel Cyntaf

Noswyl Nadolig oedd hi, ac o'r diwedd roedd pobman yn dawel. Roedd y plant wedi mynd i gysgu. Roedd Dad a Mam yn chwyrnu'n braf yn eu gwelyau, wedi blino'n lân. Roedd hyd yn oed y llygod yn swatio'n ddiogel yn eu gwâl.

Dyma pryd y byddai'r pryfed cop yn dod allan – yn cropian drwy'r crac yng nghornel y nenfwd.

'Tyrd, mae pobman yn dawel!' gwaeddodd Prys Copyn.

'Dwi'n dod cyn gynted ag y galla i!' atebodd Ceri ei wraig.

Dyna sut roedd hi bob nos. Fe fydden nhw'n gosod dau edefyn hir gludiog wrth y to, ac yna'n siglo ar draws y stafell, nes cyrraedd y llawr yr ochr arall. Yna, fe fydden nhw'n torri'r gwawn ac yn dechrau chwilota! I fyny ac i lawr y llenni, dros y cadeiriau, ac oddi tanyn nhw. Ac os bydden nhw'n dod ar draws ambell bry wrth grwydro, yna fe gaen nhw damaid blasus yr un pryd!

'Dal yn dynn!' meddai Prys Copyn.

'Mae fy wyth coes yn dal yn dynn!' atebodd Ceri Copyn.

A gyda naid a bloedd, saethodd y ddau bry cop ar draws y stafell.

Fe ddylen nhw fod wedi cyrraedd pen arall y stafell yn ddidrafferth, fel arfer. Ond cofiwch mai noswyl Nadolig oedd hi! Felly, yn hytrach na glanio ar y llawr, dyma nhw'n taro yn erbyn rhywbeth tal a phigog!

'Coeden ydi hi!' gwaeddodd Prys Copyn. 'Dwi'n siŵr mai coeden ydi hi!'

'Ond doedd hi ddim yno neithiwr,' meddai Ceri Copyn. 'Sut tyfodd hi mor gyflym?'

'Falle y dylen ni ei harchwilio,' awgrymodd Prys.

'Syniad campus!' meddai ei wraig. Ac yna, gan lyfu ei gwefusau, ychwanegodd. 'Clywais fod llawer o bryfed yn byw ar goed, a dydw i ddim wedi cael un o'r rheini ers tro!'

Felly camodd y ddau bry cop i lawr y goeden gan gychwyn o'r seren ar ei phen.

Aeth Prys Copyn un ffordd, a Ceri Copyn y ffordd arall. Ac roedden nhw wedi cynhyrfu cymaint fel yr anghofiodd y ddau dorri'r edefyn oedd yn eu dilyn.

'Edrych, mae oren fan hyn!' gwaeddodd Prys Copyn.

'Ac afal yma!' gwaeddodd ei wraig.

Roedd pob math o bethau ar y goeden. Moch coed, canhwyllau, rubanau a chlychau hyd yn oed – roedd y goeden yn llawn rhyfeddodau! Ond yn sydyn, fel roedden nhw'n cyrraedd y gwaelod, cafodd golau'r stafell ei gynnau. Felly, gwnaeth Prys a Ceri Copyn yr hyn fyddai unrhyw bryfed cop call yn ei wneud – diflannodd y ddau dan y goeden mor gyflym ag y gallen nhw, i'r gornel dywyllaf un.

Ar y dechrau, allen nhw weld dim byd ond esgidiau, esgidiau mawr du a ffwr gwyn ar y top. Yna, fe welson nhw ddwylo, dwylo mewn menig gwyn yn gwthio bocsys mawr o flaen eu hwynebau. Yna, roedd chwerthin iach i'w glywed, rhyw 'Ho Ho' dwfn. Ac yna, gan yr un llais, daeth y cwestiwn, 'Beth yw hyn?'

Safodd y dyn yn yr esgidiau mawr du a'r menig gwyn yn syth ac edrych ar y goeden. Ac yna, chwarddodd eto, a'i 'Ho Ho!' mawr yn atseinio dros y stafell.

'Mae pry cop wedi bod yma,' meddai'n chwareus, 'ac wedi gadael ei we dros y goeden i gyd. Mae'n addurn ddigon o ryfeddod. Y cyfan sydd ei angen ydi … ia, dyna fo.'

A chyffyrddodd yn y we â blaen ei fys. Trodd y we yn arian, reit o amgylch y goeden!

Wedi i'r dyn adael, roedd hi'n dywyll eto. Daeth y ddau bry cop allan o'r tu ôl i'r bocsys.

Edrychon nhw i fyny ar y goeden, ac ar eu gwe oedd yn disgleirio fel arian.

'Mae'n ddigon o ryfeddod!' meddai Prys Copyn.

'Bendigedig!' cytunodd Ceri Copyn.

A dyna, meddai rhai, sut y cafwyd y tinsel cyntaf ar goeden Nadolig!

Pasiant Nadolig Ffransis

Saif pentref Greccio ar fryncyn coediog ar draws y dyffryn o fynydd Terminillo yn yr Eidal. Ar lechweddau creigiog y mynydd mae yna ogofâu. Ac yn un o'r ogofâu hynny roedd dyn o'r enw Ffransis wedi codi eglwys fechan.

Dyn da oedd Ffransis. Roedd yn adfer hen eglwysi oedd yn adfeilion, yn helpu pobl oedd mewn angen, ac yn teithio'r hen fyd anhapus yma'n siarad am gariad Duw.

Un noswyl Nadolig oer penderfynodd Ffransis wneud rhywbeth i helpu'r bobl oedd yn byw yn Greccio. Galwodd ei ffrindiau ynghyd – criw o fynachod, y Brodyr Bach – a gofyn iddyn nhw am breseb pren. Gofynnodd am asyn hefyd. A buwch fawr frown. Ac wedi iddo'u rhoi yn yr ogof, meddai, 'Rŵan, ewch i'r pentref. Dywedwch wrth bawb fod rhywbeth arbennig yn eu haros yn yr ogof.'

Gwnaeth y mynachod bopeth ofynnodd Ffransis, a chyn pen dim gwelodd
Ffransis rai o bobl y pentref yn dod i fyny'r bryn: bachgen â ffon, merch fach,
pobydd a gof. Dyn triciau a milwr. Dyn tal ar gefn ceffyl. Hen wraig gloff. Cardotyn
ac offeiriad. Roedd pob un ohonyn nhw'n cario ffagl i oleuo'r ffordd – a'r rheini mor
llachar o'u cymharu â'r bryn tywyll fel y gallen nhw fod yn sêr ar y noson Nadolig
gyntaf, neu'n angylion oedd yn canu i'r bugeiliaid.

Wedi iddyn nhw gyrraedd yr ogof, galwodd Ffransis ar un wraig i benlinio, fel Mair,
wrth ymyl y preseb. Yna, gofynnodd i un o'r dynion ofalu drosti, yn union fel Joseff.
Yn olaf, dechreuodd Ffransis ganu. Canodd am stori'r Nadolig cyntaf ac wylodd pobl
Greccio pan glywson nhw sut roedd Duw wedi dewis gwraig dlawd, dlotach na nhw
hyd yn oed, i roi genedigaeth i'w Fab ei hun, Iesu.

Byddai'r stori wedi gorffen yn y fan honno, oni bai am fynach o'r enw Ioan. Ar un adeg, bu'n farchog – yn rhyfelwr dewr a chryf. Ond yna, cyfarfu â Ffransis, a gan ddilyn ei esiampl, roedd wedi rhoi'r gorau i'w gyfoeth a'i swydd ac wedi dewis byw yn dlawd a gwneud gweithredoedd da.

Roedd Ioan yno'r noson honno hefyd. Ond wrth i Ffransis ganu cân y Nadolig, dim ond Ioan welodd rywbeth arbennig – rhywbeth a wnaeth iddo weiddi mewn rhyfeddod a gorfoledd.

'Edrychwch!' bloeddiodd. 'Edrychwch yn y preseb. Mae baban yn gorwedd yno!'

Ai gwyrth oedd hi? Ai gweledigaeth gan Dduw? Does neb yn gwybod. Ond pan glywodd pobl Greccio Ioan yn dweud iddo weld Plentyn Bethlehem yn gorwedd yn y preseb, roedden nhw wrth eu bodd!

Felly buon nhw'n canu clodydd Duw drwy'r nos – Sant Ffransis a phobl Greccio yn y pasiant Nadolig cyntaf un!

Cân Nadolig y Tad Josef

Cerddai'r Tad Josef Mohr drwy goedwig drwchus ar y mynydd. O'i amgylch roedd y byd yn ddigon o ryfeddod. Roedd yr eira fel eisin gwyn ar ganghennau'r coed pinwydd. Roedd y lleuad lachar fel petai wedi peintio'r nos yn wahanol haenau o las gaeafaidd. Ond sylwodd yr offeiriad ddim ar hyn. Roedd ei feddwl ar bethau eraill.

Organ yr eglwys oedd wedi torri. A doedd dim amser i'w thrwsio. Ac yn waeth na dim, roedd hi'n noswyl Nadolig heno!

Gwyddai'n iawn pa mor siomedig fyddai'r bobl pan fydden nhw'n dod i'r eglwys drannoeth i ganu eu hoff garolau – a sylweddoli nad oedd unrhyw gerddoriaeth yn gyfeiliant iddynt.

Ond beth fedrai ei wneud? Yn enwedig rŵan, a hithau mor hwyr yn y nos, ac yntau ar ei ffordd i'r pentref i fendithio geni mab cyntaf y saer ifanc.

Ysgydwodd y Tad Josef yr eira oddi ar ei ysgwyddau. Curodd ei draed i gael gwared o'r eira oddi ar ei esgidiau. Trueni, meddyliodd y Tad Josef, na fyddai hi mor rhwydd i gael gwared o broblemau'r byd yn yr un modd.

71

Ond cyn gynted ag yr agorodd y Tad Josef ddrws bwthyn y saer, anghofiodd am ei broblemau. O'i flaen, yng ngolau llachar tanllwyth o dân, roedd darlun o'r Nadolig cyntaf: mam ifanc yn plygu dros y preseb; ei gŵr yn sefyll yn dal a chefnsyth y tu ôl iddi; ac wedi'i lapio'n dynn mewn blancedi bras, roedd baban newydd-anedig yn cysgu'n drwm.

Bendithiodd y Tad Josef y plentyn a chychwyn ar ei siwrne adref. Ond ni allai anghofio'r darlun hwnnw. Ceisiodd ddod o hyd i eiriau i ddisgrifio'i harddwch syml. Ac yn y diwedd, ffurfiodd y geiriau eu hunain yn gerdd.

Pan gyrhaeddodd adref, ysgrifennodd y Tad Josef y geiriau. Ac yna, â'r papur yn ei ddwylo, cerddodd yn llafurus drwy'r eira unwaith eto, i gartref ei ffrind, Franz Gruber.

Roedd yn hwyr iawn erbyn hynny, ond pan glywodd Franz y stori a darllen y gerdd, gwyddai fod yn rhaid iddo osod alaw i'r geiriau. Felly, gafaelodd yn ei gitâr a chyfansoddi cyfeiliant i gerdd y Tad Josef.

Pan wawriodd bore'r Nadolig, doedd y Tad Josef ddim yn poeni mwyach. Roedd yr organ yn dal heb ei thrwsio, a byddai rhai o'r addolwyr yn bendant wedi'u siomi. Ond gwyddai ym mêr ei esgyrn fod ganddo rywbeth gwell ar eu cyfer – cân newydd sbon i'w chanu, un oedd yn mynegi harddwch y Nadolig cyntaf hwnnw.

Ac felly, gyda'i gyfaill Franz Gruber yn cyfeilio ar ei gitâr, canodd y Tad Josef ei gân Nadolig – cân sy'n dal i fod yn ffefryn bob Nadolig, dros y byd i gyd.

Dawel nos, sanctaidd yw'r nos,
cwsg a gerdd waun a rhos,
eto'n effro mae Joseff a Mair;
faban annwyl ynghwsg yn y gwair,
cwsg mewn gwynfyd a hedd,
cwsg mewn gwynfyd a hedd.

Dawel nos, sanctaidd yw'r nos,
wele fry seren dlos;
daw'r bugeiliaid a'r doethion i'r drws;
faban annwyl, yr wyt ti mor dlws,
cwsg mewn gwynfyd a hedd,
cwsg mewn gwynfyd a hedd.

Josef Mohr
cyf. T. H. Parry-Williams

Rhosyn y Nadolig

Roedd yr Abad Hans wrth ei fodd efo'i ardd. Ei waith oedd gofalu am y fynachlog a'r mynachod oedd yn byw yno. Nid oedd yn waith hawdd, ac roedd angen llawer o amynedd. Felly, bob dydd, byddai'n cael seibiant bach ac yn mynd i ardd y fynachlog i ofalu am y blodau. Rhosod, tiwlips, cennin Pedr – gofalai am y cyfan. Plannu, dyfrio, chwynnu. Ac wrth ei ochr yn ddyddiol roedd mynach ifanc, y Brawd Erik, mynach heb unrhyw ddiddordeb mewn garddio.

'Mae gen i boen yn fy nghefn!' cwynai'r Brawd Erik. 'Mae fy mhengliniau'n fudr. Mae draenen yn fy mawd!'

Ond y cyfan ddywedai'r Abad Hans oedd, 'Bydd yn amyneddgar, y Brawd Erik. Mae tyfu blodau yn debyg i dyfu dynion. Dipyn o ddŵr yn awr ac yn y man. Peth tocio yma ac acw. Ac yna, mae rhywbeth hardd yn blaguro! Dysga'r wers hon yn yr ardd, ac efallai y byddi'n abad dy hun ryw ddydd.'

Un prynhawn heulog, aeth gwraig heibio i'r ardd.

'Dyna flodau tlws!' meddai. A chyn i'r Abad Hans allu diolch iddi am ei sylw, ychwanegodd, 'Ond rhaid i mi gyfaddef i mi weld gardd dlysach na hon.'

Roedd yr Abad Hans yn llawn chwilfrydedd (a mymryn yn eiddigeddus).

'A ble mae'r ardd honno?' gofynnodd.

Gwenodd y wraig wên gyfrinachol. Yna plygodd ymlaen a sibrwd yn ei glust, fel bod raid i'r Brawd Erik glustfeinio i'w chlywed.

'Bob noswyl Nadolig, ger yr ogof yr wyf yn byw ynddi, caiff y goedwig ei llenwi â golau gwyn, ac mae'n troi'n ardd – yr ardd dlysaf a welais erioed!'

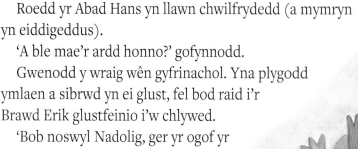

Roedd yr abad yn fwy awyddus byth i weld y fath le.

'Rhaid i chi ei dangos i mi,' ymbiliodd. 'Mi fyddwn i wrth fy modd yn cael ei gweld â'm llygaid fy hun!'

'Alla i ddim gwneud hynny,' meddai'r wraig gan ysgwyd ei phen. 'Cafodd fy ngŵr ei gyhuddo – ar gam – o ddwyn, ac mae'n cuddio yn yr ogof.' Ac ar hynny, fe gerddodd i ffwrdd.

Dychwelodd yr Abad Hans at ei waith, ond y cyfan y gallai feddwl amdano oedd yr ardd arall, yr ardd Nadolig ryfeddol.

'Mae poen yn fy nghefn!' cwynodd y Brawd Erik. 'Mae fy mhengliniau'n fudr. Ac edrychwch – mae gen i ddraenen yn fy mawd!'

'Yna dos 'nôl at y gweddill,' meddai'r abad yn ddiamynedd. Roedd yn meddwl am yr ardd arall, a doedd ganddo ddim amynedd i ddadlau â'r mynach ifanc.

Am ddiwrnod cyfan a noson ddi-gwsg, ceisiodd yr Abad Hans feddwl am gynllun i gael gweld yr ardd fendigedig. Yn y diwedd, cafodd syniad. Cyn gynted ag y gwawriodd y diwrnod wedyn, fe'i rhannodd gyda'r archesgob. Cytunodd yr archesgob. A'r tro nesaf yr aeth y wraig heibio'r fynachlog, aeth yr Abad Hans ati.

'Mae gen i gynllun,' eglurodd yr abad. 'Cynllun wnaiff helpu'r ddau ohonom, dwi'n credu. Mae'r archesgob wedi addo i mi, os gallaf ddod â rhywbeth o'r ardd ryfeddol hon – blodyn, gwraidd, neu frigyn – bydd yn fodlon siarad â'r barnwr i eiriol dros eich gŵr a'i argyhoeddi ei fod yn ddieuog!'

Syllodd y wraig ar yr Abad Hans am eiliad, a doedd o ddim yn siŵr beth fyddai hi'n ei wneud. Yna gwenodd ei gwên ddirgel unwaith eto, a nodio'i phen.

'Cytuno!' meddai. 'Noswyl Nadolig, fe ddof i ddangos y ffordd i chi.'

Cyrhaeddodd noswyl Nadolig o'r diwedd, a daeth y wraig heibio. Felly cychwynnodd yr Abad Hans a'r Brawd Erik ar eu taith.

'Mae nghoesau i'n brifo,' cwynodd y Brawd Erik wrth iddyn nhw gerdded ar draws y caeau.

'Mae nhraed i'n fy lladd!' meddai'n bryderus wrth iddyn nhw ddringo bryn bychan.

'Aw!' gwaeddodd wrth basio gwrych o fwyar duon. 'Mae draenen arall yn fy mawd!'

O'r diwedd, cyrhaeddodd y ddau yr ogof, yn union fel y dywedodd y wraig, ac yn fuan daeth yn amlwg fod ei gŵr yn ddyn caredig a gonest. Roedd yr Abad Hans yn awyddus i weld yr ardd ac edmygu ei harddwch, ond roedd hefyd eisiau helpu'r gŵr dieuog hwn.

Trodd y dydd yn nos.
Trodd y nos yn dywyll a
bygythiol. Ac yna, tua hanner
nos, clywodd yr abad sŵn cloch
fechan yn canu.

'Dyna'r arwydd!' meddai'r wraig.
'Mae'n digwydd bob blwyddyn!' Felly
cerddodd pawb allan o'r ogof tua'r goedwig.

Disgleiriai golau mawr, a lle safai coedwig gynt â
gorchudd trwchus o eira gwyn, yn ei lle roedd gardd wedi'i
gorchuddio â rhosod gwyn.

Roedd popeth yn dawel a heddychlon, ac ebychodd yr Abad Hans, 'Ydyn ni
wedi cyrraedd y nefoedd?' Ond roedd gan y Brawd Erik ofn. Gymaint o ofn fel y
dechreuodd weiddi.

'Helpwch fi!' gwaeddodd. 'Helpwch fi i ddianc o'r fan hyn!'

Cyn gynted ag y dywedodd hynny, newidiodd popeth. Tywyllodd yr awyr, a
chwythodd corwynt drwy'r goedwig, mor ffyrnig a sydyn fel na allen nhw weld ei
gilydd. Ceisiodd pawb ddod o hyd i'r ffordd yn ôl i'r ogof,
ond ar y munud olaf, cofiodd yr Abad Hans ei addewid
i'r wraig. Roedd wedi gweld yr ardd, ac yn awr, roedd
angen mynd â rhywbeth yn ôl i'r archesgob – fel y
gellid profi bod ei gŵr yn ddieuog.

Ac felly trodd yr Abad o'r ogof a cherdded i
ganol y corwynt. Yna, aeth ar ei liniau a chloddio
yn yr eira nes iddo ddod o hyd i'r hyn y chwiliai
amdano – rhosyn Nadolig gwyn.

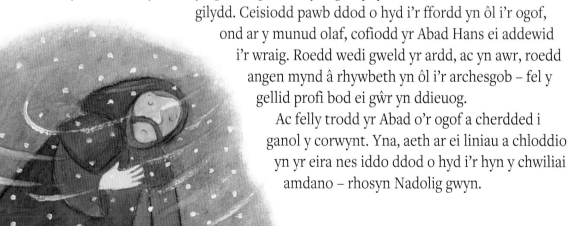

Y bore canlynol, daeth y Brawd Erik o hyd i'r abad yn yr un fan yn union – a
blaguryn rhosyn rhwng ei fysedd oer, marw. Yn addfwyn, cododd gorff yr abad a'i
gludo 'nôl i'r abaty.

Ac wedi i'r archesgob weld y rhosyn ac i ŵr y wraig gael maddeuant,
cymerodd y Brawd Erik y blodyn gwyn hardd a'i blannu
yng ngardd fechan y fynachlog. Gofalodd yn ffyddlon
amdano bob dydd, ac ni chlywyd gair o gŵyn o'i
enau – dim unwaith – er mor galed y gweithiai.

Dyna sut y daeth Rhosyn y Nadolig o
rywle oedd yn ymyl y nefoedd i erddi
pobl gyffredin. Ac mi wyddoch yn
awr sut y cafodd mynach ifanc,
nerfus a chwynfanllyd, yr
amynedd i ddod yn abad y
fynachlog, yr abad gorau a
fu yno erioed.

Chwedlau'r Nadolig

Mae casgliad helaeth gennym bellach o chwedlau'r
Nadolig – chwedlau am y geni yn ogystal â rhai am
ddathliadau tymhorol diweddarach. Dyma ambell stori
sydd wedi goroesi, ac sydd wedi'i throsglwyddo o'r naill
genhedlaeth i'r llall.

Y Gigfran

Aderyn eiddigeddus oedd Cigfran. Roedd yn eiddigeddus o Robin, Deryn Glas a Colomen oherwydd eu bod yn adar harddach nag o. Roedd yn eiddigeddus o Drudwy ac Eos hefyd, gan nad oedd ganddo obaith canu cystal â nhw.

Felly byddai Cigfran yn hedfan drwy awyr y nos, yn gysgod trist a chwerw, a'i gri yn atsain yn unig ar draws yr wybren.

Un noson oer o Ragfyr synhwyrodd Cigfran yn sydyn nad oedd ar ei ben ei hun. Teimlodd gynnwrf yn yr awyr uwch ei ben, fel petai aderyn llawer mwy – eryr neu fwltur o bosib – yn y cyffiniau. Ond clywodd Cigfran ganu hefyd – cân mor hudolus fel na fyddai modd i aderyn ysglyfaethus ei chanu.

Eiddigedd deimlodd Cigfran gyntaf. Pam ddylai drafferthu gydag aderyn arall oedd â llais mor swynol? Ond roedd yn chwilfrydig hefyd. Roedd eisiau gwybod pwy oedd yn berchen ar y fath lais. Ac felly, gan frwydro yn erbyn yr eiddigedd, edrychodd Cigfran i fyny. Yno, yn hedfan, roedd llu o angylion euraid!

'Newyddion da!' canai'r angylion. 'Mae ganddon ni newyddion da! Mae Mab Duw ei hun wedi'i eni ym Methlehem heno! A rhaid i ti, Cigfran, fynd i ddweud y newyddion da wrth yr holl adar eraill!'

'Fi?' crawciodd Cigfran. 'Pam fi? Fi yw'r hyllaf o'r holl adar, ac am fy llais – wel, rydych chi'n gwybod mor gras ydi o! Wnân nhw byth wrando arna i.'

'Ond chi sydd wedi'i ddewis,' canodd yr angylion. A heb air arall, diflannodd yr angylion i'r tywyllwch.

Beth allai Cigfran ei wneud? Roedd yn rhaid i'r adar eraill gael gwybod. A fo – o holl adar y byd – oedd wedi cael ei ddewis. Felly hedfanodd i lawr o'r awyr at ganghennau ucha'r coed – a'i gri egr yn torri ar dawelwch y nos.

'Ganwyd Crist!' gwaeddodd – ar Robin, Deryn Glas a Colomen. 'Fe'i ganed ym Methlehem heno!'

'Bydd yn rhaid i ni fynd i'w weld,' meddai'r adar eraill. Synnodd Cigfran wrth glywed hyn – doedd yr un o'r ddau wedi sôn pa mor hyll oedd o.

'Ganwyd Crist!' bloeddiodd eto – wrth Drudwy ac Eos.

'Yna, bydd yn rhaid i ni fynd i ganu iddo!' medden nhw'n llon. Ac unwaith eto, roedd Cigfran wedi synnu, oherwydd wnaeth yr un ohonyn nhw grybwyll ei lais cras.

Hedfanodd Cigfran hefyd i Fethlehem. Gwyliodd y baban bach yn ymestyn i gyffwrdd bron goch Robin. Clywodd y baban yn chwerthin wrth i Eos ganu ei suo gân. Ac roedd yntau eisiau gwneud rhywbeth mwy na sefyll yn uchel ar drawst uwchben y preseb.

'Ond weli di ddim?' meddai llais caredig wrth ei ochr o ganol yr adenydd gwyn. 'Ti wnaeth y peth pwysicaf un. Fyddai 'run aderyn arall wedi gallu dod yma oni bai dy fod di wedi mynd a lledaenu'r neges, a rhoi'r newyddion da iddyn nhw.'

Diflannodd yr angel. A gan anghofio am ei eiddigedd, hedfanodd Cigfran yntau – i lawr o'r trawstiau ac ymuno â gweddill yr adar wrth ymyl preseb y plentyn sanctaidd.

Yr Ŵyn Bach

Un tro, roedd yna ddau oen bach. Roedden nhw'n byw gyda gweddill y praidd ar fryn ger Bethlehem. A bob nos, cyn mynd i gysgu, bydden nhw'n eistedd o amgylch y tân yn gwrando ar chwedlau'r hen fugail doeth.

Roedd ambell stori'n llawn cynnwrf, a byddai'n anodd iawn i'r ddau oen bach fynd i gysgu ar ôl ei chlywed. Roedd stori arall mor ddoniol fel y byddai'r ddau oen bach yn chwerthin yn uchel ar ôl gwrando arni.

Ond roedd storïau eraill yn ddigon i godi gwlân eu pennau, a chlosiai'r ddau oen bach yn agos at eu mam.

Fodd bynnag, ar y noson arbennig yma, adroddodd yr hen fugail y stori arbennig hon – stori am rywbeth oedd heb ddigwydd eto.

'Ryw ddydd,' meddai'n araf, 'ryw ddydd, bydd brenin yn cael ei eni. Bydd yn nerthol ac yn dda, a bydd yn newid popeth sy'n ddrwg yn y byd, a'i wneud yn iawn unwaith eto. Ond dyma'r peth gwyrthiol! Nid mewn palas fydd o'n cael ei eni. Ac nid i bobl gyfoethog a phwerus. Na – bydd yn cael ei eni i bobl gyffredin a thlawd – pobl yn union fel ni!'

Doedd y ddau oen bach erioed wedi clywed y fath beth.

'Brenin!' meddai'r cyntaf.

'Brenin a bugail,' meddai'r ail.

Ac yn dawel bach, roedd y ddau'n meddwl yr un fath yn union: ble mae'r brenin yma? A phryd cawn ni fynd i'w weld?

Un noson oer a chlir, rai wythnosau wedi hyn, adroddodd y bugail y stori unwaith eto. Ac wedi iddo orffen, trodd un oen at y llall a sibrwd, 'Rydw i eisiau gweld y brenin yma!'

'A finnau!' atebodd yr ail oen bach. 'Pam nad awn ni i chwilio amdano – heno?'

Ac felly dyma'r ddau'n cymryd arnynt eu bod yn cysgu. Caeodd y ddau eu llygaid, a brefu'n araf a snwffian a chwyrnu. A phan aeth eu mamau i gysgu o'r diwedd, i ffwrdd â'r ddau heb na siw na miw allan o'r gorlan ac i lawr y mynydd ar frys.

Sbeciodd y ddau yng nghwt y bugail yn gyntaf. Na, doedd dim golwg o fabi yno.

Yna, dyma nhw'n mynd ar flaenau eu traed o amgylch y tân oedd yn mudlosgi. Na, doedd 'na 'run brenin yno chwaith. 'Beth wnawn ni rŵan?' gofynnodd yr oen cyntaf.

Meddyliodd yr ail oen am dipyn.

Ac yna, fe ddywedodd un gair yn unig: 'Gwair'.

'Gwair?' gofynnodd yr oen cyntaf.

'Ie,' meddai'r ail. 'Pan fyddwn ni'n mynd i chwilio am wair, fe fyddwn ni'n mynd o'r naill fryncyn i'r llall. A fydd y bugail ddim yn fodlon nes dod o hyd i'r borfa orau. Dyna beth wnawn ninnau. Wnawn ni ddim rhoi'r gorau iddi nes dod o hyd i'r brenin!'

Ac felly, dyma nhw'n chwilio, yn chwilio ac yn chwilio – o fryn i fryn, o ddyffryn i ddyffryn, am oriau lawer. Ond ddaethon nhw ddim o hyd i fabi oedd yn frenin.

O'r diwedd, fe ddaethon nhw at y ffordd.

'Rydw i wedi blino,' meddai'r oen cyntaf. 'Rydw i eisiau mynd adref!'

'Ond dyma'r ffordd!' meddai'r ail oen. 'Efallai y bydd hon yn ein harwain at y brenin!'

'Dos di os wyt ti eisiau,' ochneidiodd yr oen cyntaf. 'Rydw i'n mynd yn fy ôl.' A dyna'n union a wnaeth.

Ond gwrthodai'r ail oen ag ildio. Cyn hir, roedd yn cerdded ar ei ben ei hun ar hyd y ffordd.

Roedd yn dywyll ac yn hwyr, ac roedd ganddo ofn. Felly ceisiodd gofio rhai o storïau doniol yr hen fugail – ac anghofio'r rhai brawychus!

Yn sydyn, roedd yr awyr yn olau. Tu ôl iddo, dros y bryniau, roedd golau – a chanu! O'i flaen roedd yr awyr fel petai'n fwy llachar. Roedd seren yn disgleirio fry yn yr wybren, gan oleuo'r pentref bach oddi tani.

Dechreuodd yr oen bach redeg nerth ei draed. Roedd rhywbeth arbennig yn digwydd ac roedd eisiau bod yno, hyd yn oed os nad oedd yn ddim i'w wneud â'r brenin bach newydd.

Dilynodd y seren ddisglair at stabl. Ac yno, ymysg anifeiliaid oedd yn hepian cysgu, roedd tad a mam a babi.

Closiodd yr oen at y plentyn bach. Ac yn wir i chi, rhoddodd y babi bach fwythau i'r oen. Ac o fewn dim, roedd y bugeiliaid a'u defaid – a brawd bach cysglyd yr oen – wedi cyrraedd ac wedi closio at y baban yn y preseb.

'Beth wyt ti'n ei wneud yma?' gofynnodd yr hen fugail, wedi iddo sylwi ar yr oen bach. 'Mi wn i. Rwyt ti wedi dod i weld y brenin y soniais i amdano.' Yna, pwyntiodd at yr un bach yn y preseb. 'Wel, dyna fo i ti. Y brenin da. Brenin nerthol. Brenin fydd yn newid popeth drwg sydd yn y byd, a'i wneud yn iawn unwaith eto. Brenin wedi'i eni i rai cyffredin a thlawd – yn union fel ni!'

Y Baban yn y Toes

'Ychwanegwch ddŵr a blawd a thylino'r toes,' mwmialodd y pobydd wrtho'i hun wrth ei waith.

Hoffai glywed y geiriau. Roedden nhw'n gwmni iddo yn ei gegin wrth iddo bobi'r bara – torth ar ôl torth, ddydd ar ôl dydd.

'Ychwanegwch ddŵr a blawd a thylino'r toes.' Yna, clywodd sŵn curo ar y drws – curo taer: bang, bang, bang! Felly gadawodd y toes ar y bwrdd, sychu ei ddwylo ac agor drws y ffrynt. Safai gŵr a gwraig a babi yn ei breichiau yn edrych yn ofnus arno.

'Helpwch ni!' crefodd y dyn. 'Joseff ydw i. Dyma Mair, fy ngwraig. Mae milwyr y Brenin Herod yn chwilio amdanon ni. Maen nhw eisiau lladd ein babi.'

Roedd y pobydd wedi clywed y si. Roedd babanod ardal Bethlehem wedi'u lladd am fod y Brenin Herod yn credu y byddai un ohonyn nhw'n dwyn yr orsedd oddi arno.

'Brysiwch! Dewch i mewn,' meddai, a chloi'r drws ar eu holau.

Swatiodd y teulu ofnus yng nghornel y stafell ac aeth y pobydd yn ôl at ei waith.

'Ychwanegwch ddŵr a blawd a thylino'r toes.'

Cyn hir, daeth yna sŵn curo unwaith yn rhagor – curo swnllyd: bwm, bwm, bwm! Yna, llais cras yn gweiddi, 'Agorwch y drws – ar orchymyn y Brenin Herod!'

'Y milwyr!' sibrydodd Joseff.

'Mae ar ben arnom!' atebodd Mair.

Ond y cyfan y gallai'r pobydd feddwl amdano oedd y geiriau oedd yn mynd drwy ei ben ddydd ar ôl dydd, 'Ychwanegwch ddŵr a blawd a thylino'r toes.'

'Wrth gwrs!' meddai'n syn. Roedd yn syniad rhyfedd, ond efallai y byddai'n gweithio. Felly cododd lwmp o does a'i roi yn y bowlen fwyaf.

'Dewch â'r babi i mi,' meddai gan wneud twll yng nghanol y toes.

Pa ddewis oedd gan Mair? Roedd y milwyr wrth y drws yn curo'n fwy taer. Felly rhoddodd y baban

Iesu i'r pobydd, ac fe roddodd y pobydd ef yn y bowlen, taenu'r toes drosto, a'i orchuddio fel petai dan flanced drwchus!

'Nawr bydd yn dawel, fy machgen bach,' sibrydodd. 'Fyddi di ddim yna'n hir iawn.'

Yna, agorodd y drws a gadael i'r milwyr ddod i mewn.

'Rydyn ni'n chwilio am ŵr a gwraig a babi bach,' meddai capten y milwyr, gan edrych yn amheus ar Mair a Joseff.

'Wel, mae 'na ŵr a gwraig yma,' meddai'r pobydd, 'dau o'm cwsmeriaid gorau fel mae'n digwydd. Ond wela i 'run babi!'

'Hmm,' meddai'r capten yn flin, a gorchymyn i'w filwyr chwilio drwy'r tŷ i gyd. Edrychodd y milwyr yn y cypyrddau a'r droriau a gwagio'r bwced a'r bocsys. Ond edrychodd neb ar y bowlen fawr o does oedd ar y bwrdd, dan eu trwynau!

O'r diwedd, gadawodd y milwyr, a chododd y pobydd y toes.

Dyna lle roedd y baban Iesu – braidd yn ludiog, falle – ond doedd o ddim tamaid gwaeth!

'Diolch yn fawr,' meddai Joseff.

'Rydych chi wedi achub ein bywydau!' meddai Mair.

Yna, yn ddiweddarach y diwrnod hwnnw, a'r milwyr wedi hen fynd, gadawodd y teulu bach dŷ'r pobydd hefyd.

A'r pobydd? Daeth ei ddiwrnod i ben yn union fel y dechreuodd, yn ei gegin, efo'i flawd a'i bowlen. Yn ychwanegu dŵr at y blawd ac yn tylino'r toes i wneud bara.

Y Wraig Farus

Roedd Mair a Joseff a'r baban Iesu ar eu ffordd i'r Aifft.

Roedden nhw'n flinedig. Roedd eu boliau'n wag. Ac er bod milwyr y Brenin Herod ar eu gwarthau, roedden nhw'n gwybod bod yn rhaid iddyn nhw gael gorffwys.

O'u blaenau roedd tref fechan, a phenderfynodd Joseff a Mair dreulio'r noson yno. Roedd yn hwyr pan gyrhaeddon nhw, a dim ond mewn dau dŷ roedd golau i'w weld.

Roedd y tŷ cyntaf yn anferth!

Pan gurodd Joseff ar y drws, fe'i hagorwyd gan wraig anferth!

'Beth ydych chi ei eisiau?' gofynnodd yn sarrug. Roedd wedi'i gwisgo'n grand. A dweud y gwir, hi oedd y wraig gyfoethocaf yn y dref.

'Rhywle i aros dros nos,' atebodd Joseff.

'A thamaid i'w fwyta,' meddai Mair, 'os ydi hynny'n bosib ...'

Edrychodd y wraig yn amheus arnyn nhw. Roedden nhw'n fudr ar ôl y siwrne, ac roedd y baban Iesu'n dechrau anesmwytho.

'Wel, does dim lle yma!' atebodd yn flin. Yna caeodd y drws yn glep yn eu hwynebau.

'Mae'n union fel Bethlehem,' meddai Mair yn ddigalon.

'Ydi,' cytunodd Joseff. Ac yna gwenodd. 'Ond pwy a ŵyr?' gofynnodd yn smala. 'Efallai fod stabl gan y tŷ drws nesaf!'

Doedd dim stabl drws nesaf. A dweud y gwir, doedd y tŷ ei hun fawr mwy na stabl!

Rhyw le bach di-nod, digon tlodaidd, oedd o. A phan gurodd Joseff a Mair ar y drws, daeth gwraig fechan i'w agor.

'Sut medra i eich helpu?' gofynnodd.

'Rydyn ni eisiau llety am y noson,' meddai Joseff.

'A thamaid i'w fwyta,' meddai Mair, 'os nad yw'n ormod o drafferth ...'

88

'Well i chi ddod i mewn!' meddai'r wraig fechan, gan wenu.

Roedd y tŷ bron yn wag. Doedd dim ynddo ar wahân i fwrdd a chadair a throell.

'Gwraig weddw ydw i,' eglurodd y wraig fechan, 'ac felly rhaid i mi nyddu ddydd a nos i ennill fy nhamaid.'

Teimlai Mair a Joseff drueni dros y wraig, ond nid oedd am iddyn nhw adael. Rhoddodd bryd o fwyd iddyn nhw a gadael iddyn nhw gysgu ar ei chynfasau gorau.

Yn y bore, trodd Mair ati a dweud, 'Fedrwn ni byth dalu 'nôl i chi am eich caredigrwydd – does yna ddim modd inni wneud hynny. Ond os gwnewch chi ddymuniad y bore 'ma – unrhyw ddymuniad – rydw i'n addo i chi y daw'n wir!'

Edrychodd y wraig fach arnyn nhw mewn penbleth. Doedd hi erioed wedi clywed dim byd tebyg o'r blaen. Ond gwenodd wrth ffarwelio â nhw, ac wedi i'r ymwelwyr adael aeth yn ôl at ei nyddu.

Gweithiodd yn ddiwyd am amser maith. Ganol y bore, ochneidiodd a dweud wrthi'i hun, 'Fe hoffwn i allu nyddu gwlân gwell. Taswn i'n gallu gwneud hynny, fyddai dim rhaid i mi weithio mor galed.'

A'r eiliad y gwnaeth y dymuniad, fe ddaeth yn wir. Roedd y gwlân yn ei dwylo wedi troi'n feddal ac yn foethus. Nyddodd ef ddydd a nos, a chyn bo hir roedd ansawdd ei gwlân cystal fel bod pawb am ei brynu a daeth hi'n wraig gyfoethog iawn!

Roedd pawb yn falch drosti. Pawb, hynny ydi, ar wahân i'r wraig fawr yn y tŷ mawr – y wraig fwyaf cyfoethog (a'r fwyaf barus!) yn y dref. Crefodd ar y wraig fach i ddweud ei chyfrinach wrthi – sut i nyddu gwlân mor foethus ac mor esmwyth. Ac yn y diwedd, ildiodd y wraig fach a rhannu stori'r tri ymwelydd efo hi.

Allai'r wraig farus ddim credu ei chlustiau. Roedd yn flin ofnadwy gyda'r wraig fach oherwydd iddi fod mor lwcus, ac roedd yn fwy blin gyda hi ei hunan am golli'r cyfle i ddod yn gyfoethocach fyth. Ac felly, addawodd iddi ei hun y byddai'n helpu'r tri ymwelydd petai'n eu gweld eto.

Un diwrnod, daeth ei chyfle.

Bu farw'r Brenin Herod, ac roedd bellach yn ddiogel i Joseff a Mair a'r plentyn Iesu fynd adre. Ar eu ffordd 'nôl i Nasareth, aethon nhw drwy'r un dref eto.

Roedd y wraig farus wrth y ffynnon yn llenwi ei llestr pridd â dŵr, a phan welodd yr ymwelwyr rhoddodd y llestr ar y llawr.

89

'Mae'n hyfryd eich gweld chi eto!' meddai wrthyn nhw. 'Rhaid eich bod wedi blino, ac ar lwgu. Dewch i 'nhŷ i i gael gorffwys a rhywbeth i'w fwyta!'

'Dim diolch,' atebodd Joseff yn gwrtais. 'Dim ond canol dydd ydi hi, ac mae ganddon ni siwrne faith o'n blaenau.'

'Plis!' crefodd y wraig. Yna edrychodd ar Mair. 'Neu o leiaf rhowch ddymuniad i mi am fod yn ddigon caredig i gynnig llety i chi.'

Edrychodd Mair arni a dweud, 'O'r gorau. Gwnewch ddymuniad – unrhyw ddymuniad. Ac rydw i'n addo i chi y daw eich dymuniad yn wir.'

Neidiodd y wraig fawr i fyny ac i lawr. Curodd ei dwylo. A chymaint oedd ei brys fel yr anghofiodd am ei llestr dŵr.

'Am beth ga' i ddymuno?' meddyliodd ar ôl cyrraedd adre. 'Beth fyddai'n fy ngwneud yn hapus? Mil o ddarnau aur? Priodi tywysog? Teyrnas i mi fy hun o bosib ...?' Ac wrth iddi feddwl, dechreuodd deimlo'n sychedig, a phenderfynodd wneud paned o de iddi ei hun.

Ond pan aeth ati i ferwi dŵr, sylweddolodd nad oedd ganddi'r un diferyn yn y tŷ.

Felly, heb feddwl, dywedodd, 'Petawn i ond wedi dod â'r llestr adre gyda mi. Rydw i'n dymuno ei gael ar unwaith.'

A'r funud y dywedodd y geiriau, hedfanodd y llestr pridd drwy'r ffenest!

A dyna ddiwedd ar ddymuniad y wraig farus!

90

Brenin y Nadolig

Ochneidiodd y Brenin Christopher wrth iddo eistedd ar ei orsedd. Daeth yn amser dewis prif ymgynghorydd newydd.

A'r funud honno, daeth y tri phrif ymgeisydd am y swydd i mewn i'r stafell ar ras wyllt – yr Arglwydd Mwnsh, yr Arglwydd Pwnsh a'r Arglwydd Stwnsh.

'Cyfarchion, Eich Mawrhydi!' medden nhw, a phob un ohonynt yn ceisio ymgrymu yn is na'r lleill. Yna, dechreuodd y cecru.

'Fi ydi'r cyfoethocaf!' broliodd yr Arglwydd Mwnsh.

'Fi ydi'r doethaf!' meddai'r Arglwydd Pwnsh yn falch.

'Ond y fi sydd yn perthyn i'r bobl enwocaf,' cyhoeddodd yr Arglwydd Stwnsh.

A dyna'r cyfan a gafwyd, am oriau bwygilydd.

Wedi i'r arglwyddi ymadael – o'r diwedd – roedd y brenin wedi ymlâdd, ac yn methu penderfynu pwy i'w ddewis.

'Eich Mawrhydi,' daeth llais o gornel y stafell. 'Ga' i wneud awgrym?'

Mwrddrwg, digrifwr y llys, oedd yn siarad.

'Wrth gwrs,' ochneidiodd y brenin, 'cyn belled â'ch bod yn dweud jôc hefyd.'

Gwenodd y digrifwr. 'Wel, dyna'n union oedd yn fy meddwl!' Yna, sibrydodd ei syniad yng nghlust y brenin.

Drannoeth, galwodd y brenin ar y tri arglwydd ato.

'Rydw i'n siŵr y bydd y tri ohonoch yn cytuno,' meddai, 'fod yn rhaid i'r prif ymgynghorydd wybod meddwl y brenin – beth fyddai'r brenin yn ei wneud ym mhob sefyllfa, a sut fyddai'r brenin yn ymateb.'

'Cytuno,' atebodd y tri gyda'i gilydd.

'O'r gorau,' meddai'r brenin. 'Dyma'ch tasg. Rydw i'n bwriadu cymryd rhan yn y pasiant Nadolig eleni. Bydd yr actorion i gyd, gan gynnwys fi fy hunan, yn gwisgo mwgwd. Pwy bynnag ohonoch fydd yn dyfalu'n gywir pa ran sydd gen i, fe gaiff y swydd. Ond pwy bynnag fydd yn colli, bydd yn rhaid iddo ildio'i dir a'i deitl.'

Nid dyma oedd y tri arglwydd wedi'i ddisgwyl. Ond oherwydd eu bod nhw'n bobl hunanbwysig, ddywedodd yr un ohonyn nhw air. Y cyfan wnaethon nhw oedd ymgrymu a dweud, 'Fel y dymunwch, Eich Mawrhydi.'

Pan ddaeth noswyl Nadolig, roedd arogl cig rhost, gwin cynnes a phwdin Nadolig yn llenwi'r awyr. Roedd utgyrn a chlychau'n cyhoeddi bod y pasiant ar fin dechrau, a chafodd y tri arglwydd balch eu tywys i'r rhes flaen.

Adroddwyd hanes y Nadolig cyntaf un iddynt, ac ar y diwedd roedd y tri arglwydd yn cymeradwyo'n uwch na neb arall. Yna, neidiodd Mwrddrwg y digrifwr ar y llwyfan a gofyn i'r arglwyddi ddod ato.

'Foneddigesau hardd, foneddigion hawddgar!' cyhoeddodd. 'Mae hon yn noson arbennig yn wir. Nid yn unig mae'n noswyl Nadolig, ond dyma'r noson pan fydd y brenin yn dewis ei brif ymgynghorydd newydd!'

Curodd y dorf eu dwylo, heb ddangos llawer o frwdfrydedd, a cheisiodd y tri arglwydd edrych mor bwysig â phosib.

'Y prif ymgynghorydd newydd,' meddai Mwrddrwg, 'fydd y dyn sy'n medru dweud pa un o'r actorion oedd y brenin. Yr Arglwydd Mwnsh – fe gewch chi'r cyfle cyntaf i ddyfalu.'

Sythodd yr Arglwydd Mwnsh a chodi'i ben yn uchel.

'I unrhyw un sy'n gyfarwydd â chyfoeth – fel myfi – mae'n amlwg fod ein brenin wedi dewis chwarae rhan gŵr cyfoethog. Ie, un o'r doethion yw'r Brenin Christopher – yr un ddaeth ag AUR!'

Crechwenodd yr Arglwydd Pwnsh, ac meddai'n wawdlyd, 'Dewis annoeth os caf feiddio dweud.'

'Croeso i chi ddweud hynny,' meddai Mwrddrwg, 'oblegid chi sydd nesaf!'

Astudiodd yr Arglwydd Pwnsh y cast, a meddwl yn ddwys. 'Mae ein brenin yn wir yn ŵr cyfoethog,' meddai, 'ond mae hefyd yn ŵr doeth. A phwy sy'n ddoethach na'r doethion? Yr angel, wrth gwrs! Felly mae ein brenin wedi chwarae rhan yr angel Gabriel!'

Hoffai'r dorf y dewis hwn. Curodd rhai eu dwylo. Ond torrodd yr Arglwydd Stwnsh ar eu traws.

'Na!' cyhoeddodd. 'Rydych wedi camddeall yn llwyr. Pwy ydi'r gŵr pwysicaf yn y stori? Nid un o'r doethion. Na'r angel hyd yn oed. Ond hwnnw sydd â'r cysylltiadau gorau – y gŵr a ddewiswyd i fod yn dad i Iesu. Fe ddywedwn i fod y brenin wedi chwarae rhan Joseff!'

Unwaith eto, curodd y dorf eu dwylo, ond cododd Mwrddrwg ei law i'w tawelu.

'Boneddigion a boneddigesau,' meddai (gan chwerthin rhyw fymryn), 'dim ond un ffordd sydd yna o wybod pa un o'r arglwyddi hyn sydd wedi ennill y dydd.'

A gyda hynny, cerddodd at y doethion a thynnu mwgwd yr un oedd yn dal yr aur.

Chwarddodd y dorf yn uchel, ac ochneidiodd yr Arglwydd Mwnsh. Oherwydd Harri, mab y cigydd, oedd y tu ôl i'r mwgwd!

Yna, tynnodd Mwrddrwg y mwgwd oddi ar wyneb yr angel Gabriel.

Cochodd yr Arglwydd Pwnsh. Chwarddodd y dorf yn uwch. Oherwydd pwy oedd tu ôl i'r mwgwd ond Beti, morwyn y palas!

Crechwenodd yr Arglwydd Stwnsh, a cherdded at Joseff.

'Mae'n dda iawn gen i eich gwasanaethu, Eich Mawrhydi,' meddai, gan ymgrymu o flaen Joseff y Saer.

'Ia, wel,' chwarddodd Mwrddrwg. 'Gan nad oes gennyt bellach diroedd na theitl, Stwnsh, efallai y byddi di wir yn falch o gael gwaith gan y dyn yma.' A thynnodd y mwgwd oddi ar wyneb Joseff.

'Edrych pwy ydi hwn!' cyhoeddodd. 'Robin Rybish, y dyn casglu sbwriel!'

Roedd yr Arglwydd Stwnsh yn gegrwth. Roedd y dorf yn gweiddi chwerthin. Ac ni allai Mwrddrwg ei atal ei hun rhag chwerthin gyda nhw.

'Tric ydi hwn!' cwynodd yr Arglwydd Mwnsh. 'Os nad ydi'r brenin wedi chwarae'r rhannau a ddewiswyd ganddon ni, yna rydw i'n datgan nad ydi o yn y pasiant o gwbl!'

'Rydych chi'n anghywir unwaith eto,' atebodd Mwrddrwg yn dawel. 'Mae'r brenin wedi bod ar y llwyfan o'r cychwyn cyntaf.' Ac ar y gair, tynnodd y pen oddi ar ...

y mul!

Aeth y dorf yn fud. A dechreuodd yr Arglwydd Pwnsh weiddi.

'Mae hyn yn warthus! Y brenin – yn ymddwyn fel mul? Gwarth a brad, myn coblyn!'

'Bydd dawel, Pwnsh,' gorchmynnodd y brenin. 'Dwyt ti'n dal ddim yn deall, nag wyt? Daeth Brenin Nef i'r ddaear i gael ei eni ymysg y tlodion. Beth sy'n fwy o fraint i frenin na chael chwarae rhan yr anifail a gariodd y baban Iesu a'i fam?'

Ysgydwodd y brenin ei ben. 'Yn anffodus,' cyfaddefodd, 'doeddwn i ddim wastad yn fy ngweld fy hun felly. Roeddwn i'n ŵr balch, fel y tri ohonoch chi. Ac felly, fy ymgynghorydd newydd fydd y gŵr a awgrymodd mai dyma'r rhan y dylwn ei chwarae – ac sydd wedi dangos i mi'r gwyleidd-dra y dylai gwir frenin ei gael.'

Cododd ei law a'i gosod ar ysgwydd Mwrddrwg y digrifwr!

Safodd y dorf ar ei thraed a chrochlefain. Aeth y tri arglwydd oddi yno'n benisel.

Edrychodd y digrifwr a'r brenin ar y baban yn y preseb pren, a diolch am wir frenin y Nadolig.

Nadolig y Brawd Comgall

Roedd y Nadolig yn nesáu, felly dylai'r Brawd Comgall fod uwchben ei ddigon. Dylai fod yn gosod addurniadau'r Nadolig. Dylai fod yn cynllunio gêmau. Dylai fod yn paratoi ar gyfer gwledd y Nadolig y byddai'n ei rhannu â'r bechgyn yn ei fynachlog bob blwyddyn.

Dylai fod yn llawn o gynnwrf a hwyl y Nadolig. Ond doedd o ddim. Oherwydd roedd newyn mawr wedi taro Iwerddon, a doedd dim briwsionyn ar ôl i'w fwyta yno.

Daeth llygoden fach at gadair y Brawd Comgall, a neidio ar ei ddesg. Ond wnaeth o ddim ei gyrru oddi yno. Yn hytrach, gwenodd yn wan arni, a dweud, 'Helô, fy ffrind.' Tynnodd ychydig o fara a darn bach o gaws o'i boced.

Dechreuodd y lygoden wichian sgwrsio.

'Beth wyt ti'n ei ddweud?' holodd y Brawd Comgall. 'Rydw i'n gweld. Wnei di ddim eu bwyta oni bai mod innau'n bwyta hefyd? Ie, rwyt ti'n iawn. Rydyn ni wastad wedi rhannu ein bwyd. Ond mae cyn lleied yma, fy nghyfaill bach, does dim digon i ti, heb sôn amdanaf i!'

Ond wnâi'r llygoden fach ddim newid ei meddwl. Gwichiodd a mynnu ei ffordd ei hun. Torrodd y Brawd Comgall ddarnau bach o'r bara a'r caws iddo'i hunan.

Chymerodd hi fawr o amser iddyn nhw fwyta'r bwyd. Ac ar ôl iddyn nhw orffen, dechreuodd y llygoden wichian eto.

'Ie,' meddai'r Brawd Comgall. 'Rydw i wedi meddwl am hynny hefyd. Mae gan Dywysog Ulster fwyd yn weddill. Ond mae ei storfa'n llawn am ei fod wedi dwyn bwyd oddi wrth bob teulu sy'n byw ar ei stad. Dyn drwg ydi o a dyna fo. Fyddai o byth yn ein helpu.'

Ond roedd y llygoden yn benderfynol. Crychodd ei thrwyn a gwichian eto. A gwenodd y Brawd Comgall.

'O'r gorau,' meddai. 'Mae'n debyg nad oes dim drwg mewn gofyn.'

A gyda hynny, ffarweliodd â'i ffrind bach, gwisgodd ei wisg gynhesaf, ac i ffwrdd ag o i gastell Tywysog Ulster.

Y tu allan, roedd yr oerfel yn brathu. Roedd rhew ar y coed, a'r eira'n drwchus. Chwythai'r gwynt mor gryf fel mai prin y gallai'r Brawd Comgall glywed ei hunan yn canu carol Nadolig.

Ond y tu mewn i furiau'r castell roedd popeth yn gynnes. Ac wedi i'r Brawd Comgall fynd i mewn yno ac ymgrymu, gwelodd fod y tywysog a'i holl ffrindiau yn eistedd o amgylch bwrdd hir oedd yn llawn o gigoedd a bara a danteithion.

'Beth wyt ti eisiau, fynach?' gofynnodd y tywysog, a'i geg yn llawn bwyd.

'Tamaid i'w fwyta,' atebodd y Brawd Comgall. 'Nid i mi fy hun, ond i'r bechgyn – meibion eich pobl, y rheini rydyn ni'n eu dysgu i ddarllen ac ysgrifennu.'

'Pam dod ataf fi?' gofynnodd y tywysog. 'Rydych chi'n dysgu bod eich duw Cristnogol yn gofalu amdanoch. Pam nad ewch chi ato fo i gardota?'

'Oherwydd bod ganddoch chi fwyd yn weddill,' atebodd y Brawd Comgall, 'ond does gan y bechgyn ddim i'w fwyta.'

'Byddai'r bechgyn yn fwy defnyddiol i mi petaech yn eu dysgu sut i ddefnyddio cleddyf!' cwynodd y tywysog. Yna cododd ar ei draed. 'Pa ddefnydd i mi yw bechgyn sy'n medru darllen ac ysgrifennu? Dysgwch nhw sut mae lladd, ac yna byddai'n werth i mi eu bwydo!'

Allai'r Brawd Comgall ddim dioddef rhagor o hyn.

'Fyddwn i byth yn gwneud y fath beth!' meddai. 'Mi ddysgaf nhw i ddarllen a meddwl – ac i wybod y gwahaniaeth rhwng caredigrwydd a bod yn farus. Ac yna, un diwrnod, bydd gan y wlad hon arweinydd fydd yn gwybod sut i ofalu am ei bobl!'

'Taflwch ef allan!' gorchmynnodd y tywysog. Felly rhuthrodd y milwyr at y Brawd Comgall a'i daflu i'r llawr, y tu allan i giatiau'r palas.

Pan gododd, roedd yn gwaedu ac yn gleisiau o'i gorun i'w sawdl. Ac wrth i'r Brawd Comgall gerdded yn araf tuag at ei gartref, âi'r boen yn ei ben a'i goesau'n waeth ac yn waeth, a disgynnodd yn yr eira o flaen drws y fynachlog. Yn ffodus, gwelodd un o'r mynachod eraill ef, ei gludo i mewn a'i roi yn ei wely.

Cysgodd y Brawd Comgall mewn twymyn am dri diwrnod cyfan. Roedd yna adegau pryderus pan gredai'r mynachod eraill na fyddai byth yn deffro o'i drwmgwsg. Ond ar fore'r Nadolig, wrth iddyn nhw swatio o amgylch ei wely mewn gweddi, agorodd y Brawd Comgall ei lygaid.

'Pa ddiwrnod ydi hi?' gofynnodd yn wan.

'Dydd Nadolig,' atebodd y lleill.

'Yna, pam rydych chi yma?' gofynnodd. 'Dylech fod yn brysur yn nôl bwyd o'r stordy ac yn paratoi gwledd fawr y Nadolig!'

Edrychodd y mynachod ar ei gilydd yn bryderus. Efallai fod y Brawd Comgall wedi colli'i bwyll yn dilyn ei godwm!

'Ond mae'r storfa bron yn wag!' eglurodd un ohonyn nhw. 'Siawns nad ydych chi wedi anghofio am y newyn!'

'Wrth gwrs nad ydw i wedi anghofio,' meddai'r Brawd Comgall. 'Ond wrth i mi orwedd yma, yn ymladd y dwymyn, roeddwn yn gweddïo'n daer.' Ac yna chwarddodd. 'Syniad Tywysog Ulster oedd hynny, a dweud y gwir! A chredaf fod Duw wedi ateb

fy ngweddi. Felly, ewch! A dewch â beth bynnag ddewch chi o hyd iddo.'

I ffwrdd â'r mynachod.

A phan agoron nhw ddrysau'r stordy, allen nhw ddim credu eu llygaid. Roedd y stafell yn llawn! Yn llawn o gigoedd a bara a danteithion. Mor llawn fel bod digon i fechgyn y fynachlog y Nadolig hwnnw, a'u teuluoedd hefyd. Dyma'r wledd Nadolig orau erioed!

Yn hwyrach y noson honno, daeth y llygoden fach i ymweld â'r Brawd Comgall. Llamodd ar y gwely a neidio dros y flanced. Ac fel arfer, roedd gan y mynach fara a chaws yn barod iddi.

'Ble wyt ti wedi bod?' holodd. 'Rydw i wedi dy golli'r dyddiau diwethaf hyn.'

Gwichiodd y llygoden fach a sgwrsio. Ac wedi iddi orffen ei stori, y cyfan y gallai'r Brawd Comgall ei wneud oedd ysgwyd ei ben mewn rhyfeddod.

'Ydw i wedi deall hyn yn iawn?' gofynnodd. 'Roedd un o dy gefndryd dan fwrdd y tywysog, ac fe glywodd beth ddywedodd y tywysog wrtha i? A gweld yr hyn wnaeth y tywysog i mi? Ac felly galwodd arnat ti ac ar gannoedd o'th deulu, ac yn ystod y nos, fe gymeroch chi bob tamaid o fwyd o stordy'r tywysog, a'i gludo yma i'r fynachlog?'

Nodiodd y llygoden fach gan wichian a pharablu, a gallai'r Brawd Comgall daeru ei bod yn chwerthin!

'Diolch,' meddai'r mynach. Yna, plygodd ei ben a diolch i Dduw – am wyrth mor anhygoel, am wyrth na fyddai byth wedi gallu breuddwydio amdani.

Ac yna, fe fwytodd y mynach a'r llygoden eu cinio Nadolig, gyda'i gilydd.

Ymwelwyr Papa Panov

Roedd hi'n noswyl Nadolig.

Dawnsiai'r goleuadau'n hapus yn y stryd. Roedd teuluoedd yn canu a chwerthin wrth agor eu hanrhegion.

Ond gartref, ar ei ben ei hun, yr oedd Papa Panov, crydd y pentref.

Roedd ei wraig wedi marw, a'i blant wedi tyfu ac wedi gadael cartref. Felly, eisteddai ar ei ben ei hun, a'i hen Feibl ar ei lin, yn chwilio am gwmni yn stori'r Nadolig cyntaf.

Dacw Mair a Joseff, yn flinedig ac eisiau bwyd, heb lety i orffwys ynddo.

Mi fyddwn i wedi rhoi llety iddyn nhw, meddyliodd Papa Panov. Mae digonedd o le yn yr hen dŷ yma.

Dacw'r bugeiliaid, a'r angylion. A'r tri dyn doeth o'r Dwyrain yn dod â'u hanrhegion.

'Tybed beth fyddwn i wedi'i roi'n anrheg?' dyfalodd Papa Panov. A chrwydrodd ei feddyliau at focs bach oedd ar y silff uchaf un yn ei siop. Yn y bocs hwnnw roedd dwy esgid fechan, wedi'u llunio gan ei fysedd chwim, bysedd oedd bellach yn hen a stiff.

'Dyna beth fyddwn i wedi'i roi iddo,' gwenodd Papa Panov. 'Y pâr gorau wnes i erioed!' Ac yna, disgynnodd ei ben i un ochr, llithrodd ei sbectol i lawr ei drwyn a syrthiodd Papa Panov i gysgu.

Cysgodd drwy noswyl Nadolig. A thra oedd yn cysgu, cafodd freuddwyd. Breuddwydiodd am ei wraig a'i blant a'r gwyliau Nadolig hapus erstalwm. Gwelai eu hwynebau, yn union fel roedd o'n eu cofio – yn canu a chwerthin yn llawn hwyl. Ac wrth i'r atgofion ei wneud yn drist, gwelodd Papa Panov wyneb arall, wyneb clên a thyner.

'Iesu ydw i,' meddai'r wyneb. 'Rydw i'n gweld dy fod yn unig ac yn drist. Ac felly y dydd Nadolig hwn, mi ddof i ymweld â thi. Gwylia amdanaf, Papa Panov!'

Deffrodd Papa Panov â naid. Roedd haul y bore'n disgleirio'r tu allan. Diwrnod Nadolig! Ac os oedd y breuddwyd yn wir, heddiw oedd y diwrnod y byddai Iesu'n dod i'w weld!

Taclusodd Papa Panov y tŷ. Rhoddodd jwgaid o goffi ffres ar y tân. Ac yna, bob hyn a hyn, edrychai drwy'r ffenest. A dyna pryd y gwelodd y dyn.

Efallai mai Iesu oedd yno, yn cerdded yn araf i lawr y stryd, yn cario ffon fugail. Ond wrth i'r dyn nesáu, roedd Papa Panov yn ei adnabod. Sergei, y dyn glanhau'r stryd, oedd o, wrth ei waith hyd yn oed ar ddydd Nadolig.

Agorodd Papa Panov y drws a gweiddi ar y dyn. 'Rwyt ti'n edrych yn oer, fy nghyfaill. Rhaid dy fod yn unig allan yna ar fore'r Nadolig. Tyrd i mewn i gael paned o goffi efo mi!'

Prysurodd y dyn glanhau'r stryd i mewn i dŷ Papa Panov. Ysgydwodd yr eira oddi ar ei ysgwyddau a rhwbio'i ddwylo oer. Ac wrth i Papa Panov estyn y coffi poeth iddo, fe'i daliodd am ychydig i adael i'r ager godi ohono fel cwmwl cynnes dros ei wyneb.

Yfodd Sergei ei goffi'n araf, ac er bod Papa Panov yn siarad yn gyfeillgar (soniodd am ei freuddwyd, hyd yn oed!), cadwai'r crydd olwg ar y stryd y tu allan.

'Wel, gobeithio y daw eich breuddwyd yn wir,' meddai Sergei yn y diwedd. 'Ond rhaid i mi fynd yn ôl at fy ngwaith. Diolch am y coffi a'ch caredigrwydd.' A gyda 'Nadolig Llawen' siriol, cododd ei ysgub a mynd yn ôl i sgubo'r stryd.

Aeth awr neu ddwy heibio. A fesul tipyn, roedd mwy o bobl i'w gweld ar y stryd. Rhoddodd Papa Panov sosbennaid o gawl bresych ar y tân a gwylio'r cymdogion yn mynd i gartrefi eu perthnasau. Ond doedd yna ddim sôn am Iesu.

Yna sylwodd ar ferch fach ddieithr yn cerdded yn araf ar hyd y stryd, a bwndel yn ei breichiau. Gan fod ei dillad tenau wedi'u rhwygo, crynai yn yr oerfel.

Agorodd Papa Panov y drws eto. Edrychodd i fyny ac i lawr y stryd a phan oedd yn siŵr nad oedd Iesu yno, galwodd ar y ferch, 'Dewch yma, dewch i mewn o'r oerfel!'

Arllwysodd Papa Panov baned o goffi a rhoi'r ferch i eistedd ger y tân. Cynigiodd gymryd y bwndel oddi arni, ond cydiodd y ferch yn dynnach ynddo, a'i wasgu at ei bron. A dyna pryd y dechreuodd y bwndel grio.

'Mae fy mabi'n llwgu,' sibrydodd y ferch.

Felly cynhesodd Papa Panov ychydig o laeth. Ac wrth i'r ferch fwydo'i babi, a datod y flanced frau oedd amdano, sylwodd Papa Panov nad oedd gan y plentyn ddim byd am ei draed.

Aeth ei feddwl yn syth at y bocs bach ar y silff unwaith eto, yr un oedd ar y silff uchaf un yn y siop.

'Ond ar gyfer Iesu yr oedd y rheini!' siaradodd yn dawel wrtho'i hun.

Dechreuodd y babi grio eto, ac wrth iddo weld y bodiau bach yn biws gan oerfel, setlodd hynny'r ddadl yn syth. Estynnodd Papa Panov am y bocs, ei dynnu i lawr a rhoi'r esgidiau bach i'r ferch.

'Fedra i mo'u cymryd nhw,' meddai hi gan wylo. 'Maen nhw'n llawer rhy grand i rywun fel fi.'

'Cymerwch nhw i'r plentyn,' meddai Papa Panov, 'ac am ei bod yn Nadolig.'

Wedi i'r ferch adael edrychodd Papa Panov drwy'r ffenest unwaith eto. Roedd yr haul yn isel yn yr awyr, a doedd dim arwydd o Iesu. Ond roedd digon yn cardota, yn crwydro'r strydoedd, yn chwilio am arwyddion o ewyllys da. Felly agorodd Papa Panov y drws iddyn nhw, a'u croesawu i'w dŷ. Wedi'r cwbl, roedd ganddo sosbennaid o gawl bresych. A bwytodd y cardotwyr hwnnw'n awchus.

Roedd yn dywyll wedi i'r rhai olaf ymadael, ac roedd Papa Panov wedi blino. Eisteddodd yn ei gadair, yn fwy trist ac unig na'r noson cynt hyd yn oed.

'Rhaid mai breuddwyd oedd y cyfan,' meddai, 'dim byd ond breuddwyd.' A'r eiliad honno, gwyddai Papa Panov nad oedd ar ei ben ei hun. Edrychodd i fyny, a dyna lle roedd yr wyneb hwnnw eto. Iesu ydoedd, yn sefyll yn y drws.

'Pan oeddwn yn llwgu,' meddai Iesu, 'rhoddaist fwyd i mi. Pan oeddwn yn oer, rhoddaist gysur i mi. A phan oeddwn yn noeth, rhoddaist rywbeth i mi ei wisgo.'

'Ond pryd?' gofynnodd Papa Panov. 'Pryd wnes i hyn i gyd i ti?'

'Pan roddaist gynhesrwydd i'r dyn glanhau'r stryd, a bwydo'r cardotwyr, a rhoi dy bâr gorau o esgidiau i blentyn oedd yn crynu gan oerfel. Dyna pryd,' meddai Iesu gan wenu.

'Nadolig Llawen, Papa Panov,' meddai o'r diwedd. Yna diflannodd i'r nos. Fel dymuniad ... fel breuddwyd.

Gardd Nadolig Christina

Roedd Christina a'i mam yn byw yn y goedwig. Ogof oedd eu cartref, a gwely o wellt oedd gan y ddwy. Roedd eu dillad wedi'u gwneud o grwyn anifeiliaid, a chawl aeron a nionod gwyllt oedd eu bwyd.

Roedd pobl y pentref gerllaw yn gwneud hwyl am ben Christina a'i mam – nid yn gymaint am eu bod yn dlawd ond am eu bod yn wahanol!

Yr unig un o bobl y pentref oedd yn garedig efo nhw oedd y Tad Robert, yr hen offeiriad.

'Rwyt ti'n arbennig iawn,' meddai'n aml wrth Christina (roedd o'n ddyn oedd yn gallu dweud pethau felly). 'Ryw ddydd, bydd Duw yn dy ddefnyddio i wneud pethau anhygoel.'

Un noswyl Nadolig, pan oedd eira'n gorchuddio'r pentref a'r goedwig, cerddodd Christina i'r eglwys. Roedd yn rhaid iddi gerdded drwy'r pentref i gyrraedd yno, ac fe gafodd ei synnu pan edrychodd drwy ffenestri'r tai. Gwelodd bobl yn eistedd o flaen

tanllwyth o dân, byrddau yn llawn bwyd a choed wedi'u haddurno'n hardd – yn llawer harddach na dim a welodd yn y goedwig – a phlant yn dawnsio o'u hamgylch.

'Petai 'nghartref i hanner mor hardd ag un o'r rhain, byddwn wrth fy modd!' ochneidiodd.

Ac felly, gwasgodd ei thrwyn yn erbyn pob ffenest. Llyfodd ei gwefusau wrth iddi syllu. Ond bob tro y gwelai un o'r pentrefwyr hi, fe fydden nhw'n ei hanfon oddi yno, a byddai'r plant yn rhoi'r gorau i chwarae am ychydig ac yn galw enwau arni wrth iddi redeg drwy'r eira.

Erbyn iddi gyrraedd yr eglwys roedd hi bron yn hanner nos. Roedd Christina'n rhynnu gan oerfel, yn drist ac yn rhwystredig, ond doedd hi ddim mor rhwystredig â'r Tad Robert.

'Cloch yr eglwys ydi'r broblem,' meddai. 'Rhaid i mi ei chanu – i groesawu'r Nadolig. Ond mae'r rhaff wedi rhewi'n gorn, a wnaiff hi ddim symud.'

'Gadwch i mi geisio'i thrwsio!' cynigiodd Christina.

A chyn i'r Tad Robert gael cyfle i ddweud 'Iawn' neu 'Sut?', roedd Christina wedi dechrau dringo'r tŵr uchel.

'Bydd yn ofalus!' gwaeddodd yr hen offeiriad. Ond doedd gan Christina ddim ofn o gwbl, oherwydd roedd wedi dringo coed oedd yn llawer uwch na'r tŵr. Pan gyrhaeddodd Christina ben y tŵr, dechreuodd ysgwyd y gloch a thynnu ar y rhaff oedd wedi rhewi. A fesul tipyn, dechreuodd y gloch symud. Rhyw glinc-clanc gwan oedd i'w glywed i ddechrau, wrth i'r dwrn daro ochr y gloch. Ond wrth i Christina dynnu mwy ar y rhaff, canodd y gloch yn uwch nes i'r clinc-clanc dyfu'n ding-dong, ac yna'n BONG, BONG swnllyd!

Chwifiodd y Tad Robert ei law i ddiolch i Christina wrth i'r pentrefwyr ruthro i'r stryd i ddymuno Nadolig Llawen i'w gilydd.

Ac yna digwyddodd rhywbeth annisgwyl.

Efallai oherwydd ei bod yn Nadolig, neu efallai oherwydd i'r gloch ganu. Neu efallai oherwydd dymuniad arbennig – dymuniad Christina y byddai ei chartref hi wedi'i addurno mor dlws â chartrefi pobl y pentref. Wrth i'r gloch ganu, dechreuodd y goedwig, oedd yn gartref iddi, newid yn raddol. Meiriolodd y rhew. Daeth blagur ar y coed. Gwthiodd y blodau trwy'r ddaear oer. Mentrodd anifeiliaid bach o'u gwâl. Ac roedd y goedwig yn llawn o arwyddion ac arogleuon y gwanwyn! Nid lle tywyll a gaeafol oedd cartref Christina mwyach, ond gardd Nadolig fendigedig.

Wrth i bobl y pentref edrych o'u cwmpas yn syn ac i'r Tad Robert ddweud gweddi fach, dringodd Christina i lawr o'r tŵr. Rhedodd i chwilio am ei mam, a ble bynnag fyddai'n rhoi ei thraed ar y ddaear, byddai blodau'n ymddangos!

Wedi iddi fynd 'nôl i'r goedwig, aeth pobl y pentref adref i'w tai. A phan ddeffrodd pawb y bore wedyn, roedd y gaeaf yn ei ôl, a phopeth fel roedd cynt. Ar wahân i un peth – roedd pawb wedi sylweddoli nad gwahanol oedd Christina; roedd hi'n arbennig. Yn arbennig iawn. Felly wnaeth neb feiddio gwneud hwyl am ei phen hi na'i mam byth wedyn.

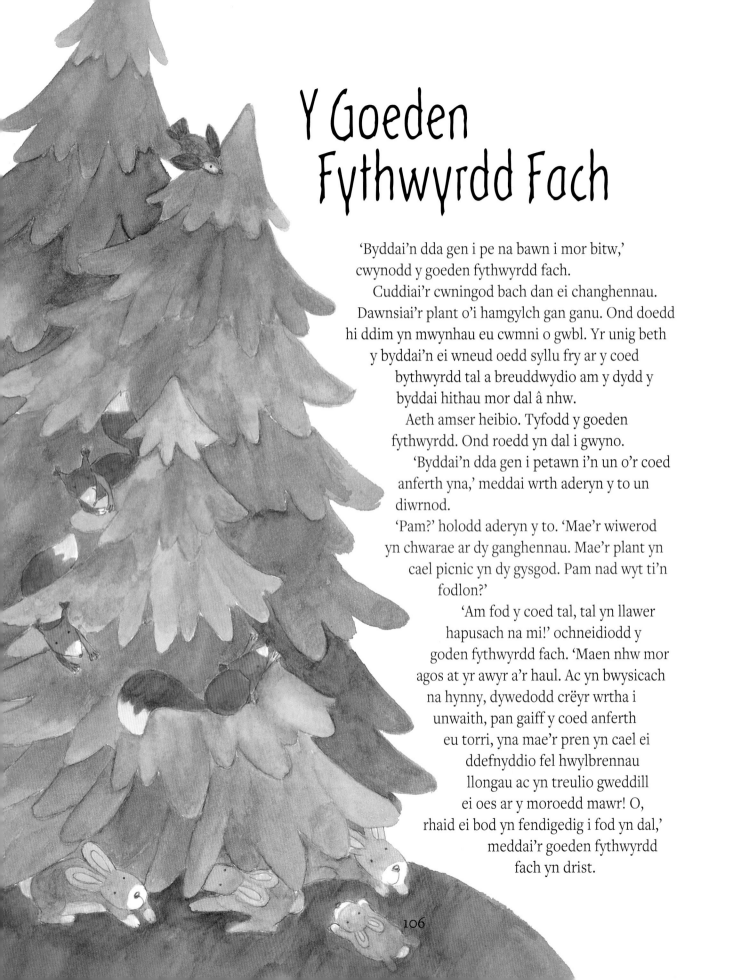

Y Goeden Fythwyrdd Fach

'Byddai'n dda gen i pe na bawn i mor bitw,' cwynodd y goeden fythwyrdd fach.

Cuddiai'r cwningod bach dan ei changhennau. Dawnsiai'r plant o'i hamgylch gan ganu. Ond doedd hi ddim yn mwynhau eu cwmni o gwbl. Yr unig beth y byddai'n ei wneud oedd syllu fry ar y coed bythwyrdd tal a breuddwydio am y dydd y byddai hithau mor dal â nhw.

Aeth amser heibio. Tyfodd y goeden fythwyrdd. Ond roedd yn dal i gwyno.

'Byddai'n dda gen i petawn i'n un o'r coed anferth yna,' meddai wrth aderyn y to un diwrnod.

'Pam?' holodd aderyn y to. 'Mae'r wiwerod yn chwarae ar dy ganghennau. Mae'r plant yn cael picnic yn dy gysgod. Pam nad wyt ti'n fodlon?'

'Am fod y coed tal, tal yn llawer hapusach na mi!' ochneidiodd y goeden fythwyrdd fach. 'Maen nhw mor agos at yr awyr a'r haul. Ac yn bwysicach na hynny, dywedodd crëyr wrtha i unwaith, pan gaiff y coed anferth eu torri, yna mae'r pren yn cael ei ddefnyddio fel hwylbrennau llongau ac yn treulio gweddill ei oes ar y moroedd mawr! O, rhaid ei bod yn fendigedig i fod yn dal,' meddai'r goeden fythwyrdd fach yn drist.

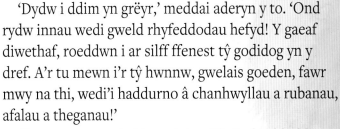

'Dydw i ddim yn grëyr,' meddai aderyn y to. 'Ond rydw innau wedi gweld rhyfeddodau hefyd! Y gaeaf diwethaf, roeddwn i ar silff ffenest tŷ godidog yn y dref. A'r tu mewn i'r tŷ hwnnw, gwelais goeden, fawr mwy na thi, wedi'i haddurno â chanhwyllau a rubanau, afalau a theganau!'

'Fawr mwy na mi, ddywedaist ti?' ailadroddodd y goeden fythwyrdd fach.

'Yn union!' meddai aderyn y to. 'Felly bydd yn fodlon ar dy fyd!' A hedfanodd yr aderyn bach i ffwrdd.

O'r eiliad honno, ni allai'r goeden feddwl am ddim ond stori aderyn y to. Anwybyddodd yr haf crasboeth clir, a'r hydref lliwgar. Anghofiodd am y wiwerod a'r plant hefyd. Y cyfan fyddai'n ei wneud oedd breuddwydio am fod yn goeden odidog, a dymuno i'r gaeaf ddod yn gyflym.

Cyrhaeddodd o'r diwedd, a daeth yr oerni, yr eira a'r rhew. A daeth y dynion â bwyeill ar eu hysgwyddau i'r goedwig. Pan welson nhw'r goeden fythwyrdd fach, gwaeddodd un o'r dynion, 'Dyma hi!' a gydag ergyd neu ddwy, roedd y goeden fach yn gorwedd ar y ddaear.

Roedd y fwyell wedi gwneud dolur i'r goeden fythwyrdd fach. Ond am unwaith, ni chwynodd. Y cyfan y gallai feddwl amdano oedd mor hardd y byddai ymhen tipyn.

Cafodd ei chludo gan y dyn â'r fwyell i dŷ crand iawn. Ac mewn dim, daeth breuddwyd y goeden fythwyrdd fach yn wir. Cafodd ei gosod yng nghornel stafell enfawr, a'i gorchuddio â rubanau a chanhwyllau a theganau – yn union fel y soniodd aderyn y to wrthi!

Y noson honno, cyneuwyd y canhwyllau, ac er bod y gwêr poeth yn llosgi'i changhennau, wnaeth y goeden fach ddim cwyno, oherwydd cyn gynted ag yr edrychai'r plant arni, roedden nhw'n curo'u dwylo ac yn dotio.

Roedden nhw'n hapus. Ac o'r diwedd, roedd hithau'n hapus hefyd. Ond wnaeth hynny ddim para'n hir. Oherwydd cyn gynted ag roedd y plant wedi gorffen curo'u dwylo, fe ddaethon nhw at y goeden a chymryd y ffrwythau, y rubanau a'r anrhegion oddi arni!

'O diar!' ochneidiodd y goeden fythwyrdd fach. Ac yna, ymdawelodd wrth feddwl, 'Efallai y dôn nhw i'm haddurno eto yfory.'

Gwawriodd y diwrnod canlynol. Ond doedd dim mwy o addurniadau. Na'r diwrnod wedi hynny, na'r diwrnod wedyn. A dweud y gwir, ni thalodd neb unrhyw sylw i'r goeden fythwyrdd fach. Ac ymhen rhai dyddiau eto, daeth gwas heibio a'i thaflu ar ben y domen sbwriel yng nghefn y tŷ. Roedd ei changhennau bellach yn frau, a'r nodwyddau'n disgyn oddi arnyn nhw.

'Fe fyddai'n dda gen i pe bawn i 'nôl yn y goedwig,' cwynodd y goeden fythwyrdd fach.

'O, dydi hi ddim yn rhy ddrwg yma,' meddai llygoden fechan. 'Mae digonedd o sbwriel i'w fwyta! Dylet fod yn fodlon dy fyd!'

'Roeddwn yn hapus unwaith,' cofiai'r goeden fythwyrdd fach (er nad oedd yn cofio hynny'n dda iawn!). 'Roeddwn i'n byw â'r wiwerod ar fy nghanghennau a'r plant o'm hamgylch.' Ond cyn iddi allu cofio mwy, taniodd y gwas y pentwr sbwriel – a rhoi'r goeden ar dân hefyd.

Rhedodd y llygoden am ei bywyd. Hedfanodd aderyn y to i'r awyr uwchben. A chleciodd y brigau wrth i'r fflamau eu hamgylchynu.

'Fe fyddai'n dda gen i petai …' sibrydodd y goeden fythwyrdd fach. A dyna'i geiriau olaf.

Y Pedwar Tymor

Noswyl Nadolig oedd hi, diwrnod oera'r flwyddyn, ac eisteddai Marushka fach yn crynu ac yn crio yn y gornel. Nid oedd ei hanner chwaer, Holena, na'i llysfam yn ei hoffi. Fe fydden nhw'n galw enwau arni ac yn ei gorfodi i weithio'n galed yn y tŷ. Pam? Dim ond oherwydd bod Marushka'n hardd, ac roedden nhw'n genfigennus ohoni.

'Marushka!' clywodd lais cras ei llysfam yn galw arni. 'Marushka, tyrd yma ar unwaith!'

Sychodd Marushka ei llygaid â'i ffedog a cherdded yn araf i'r stafell nesaf.

'Brysia, ferch!' cyfarthodd ei llysfam. Mae dy chwaer, Holena, eisiau fioledau ar gyfer y Nadolig. Dos yn syth i'r goedwig i nôl rhai.'

'Ond does dim fioledau yn y goedwig,' meddai Marushka'n dawel. 'Mae'n ganol gaeaf.'

'Yna bydd yn rhaid i chi chwilio amdanyn nhw,' meddai Holena'n slei o'i chadair gyfforddus yr ochr arall i'r stafell.

'Dos, neno'r tad,' gorchmynnodd y llysfam, 'neu mi wna i dy guro di nes byddi di'n ddu-las!'

Ddywedodd Marushka ddim gair arall. Lapiodd ei hun yn ei dillad cynhesaf, ac i ffwrdd â hi drwy'r eira trwchus i ganol y goedwig i chwilio am flodau fioled.

Cerddodd a cherdded a cherdded, gan grio pob cam o'r ffordd.

'Fe fydda i wedi rhewi'n gorn allan yma,' wylodd (a dyna oedd bwriad ei chwaer a'i llysfam), ond yn sydyn gwelodd olau'n llosgi'n llachar ar ben y bryn. Felly brysiodd yno, cyn gynted ag y gallai.

Pan gyrhaeddodd, gwelodd ddeuddeg dyn yn eistedd yn dawel o amgylch tân. Roedd tri ohonyn nhw'n hen iawn. Roedd tri ychydig yn iau, a thri arall yn iau fyth. Doedd y tri olaf hyn fawr hŷn na phlant. Doedd Marushka ddim yn eu hadnabod, wrth gwrs, ond y rhain oedd Deuddeg Mis y Flwyddyn!

'Beth ydych chi ei eisiau?' gofynnodd yr hynaf ohonynt.

'R-r-rydw i wedi d-d-dod i gasglu fioledau,' meddai Marushka gan grynu.

'Ond fy mis i ydi hwn – Rhagfyr,' meddai'r hen ŵr. 'Does dim blodau yn y goedwig nawr.'

'M-m-i wn i hynny,' atebodd Marushka, gan grynu mwy nag erioed. 'Ond b-bydd fy llysfam yn fy nghuro os af 'nôl hebddyn nhw.'

'Wela i,' meddai'r hen ŵr. 'Yna bydd yn rhaid i ni wneud rhywbeth. Brawd Mawrth!' gwaeddodd, 'tyrd i gymryd fy lle.'

Safodd un o'r gwŷr ifanc a newid lle â'r hen Ragfyr. Ac ar unwaith, dechreuodd popeth newid.

Meiriolodd y rhew. Daeth robin goch i'r golwg. Daeth blagur ar y brigau noeth. Yn sydyn, roedd yn wanwyn! 'Mae digonedd o fioledau rŵan,' meddai'r Brawd Mawrth.

'Casglwch nhw'n sydyn a mynd â nhw adref i'ch teulu.'

Diolchodd Marushka i'r dyn, casglodd dusw o fioledau a brysio adref.

Cafodd ei chwaer a'i llysfam sioc o'i gweld. Ond fe gawson nhw fwy o sioc fyth pan dynnodd y tusw o fioledau o'i chôt.

'Ond sut yn y byd? Lle ddoist ti o hyd iddyn nhw?' gofynnodd Holena.

'Yn y goedwig, ar fryncyn bach,' meddai Marushka'n ddigon sych. Ac yna, aeth yn syth i'w gwely.

Y bore trannoeth, ysgydwodd ei llysfam hi tra oedd yn dal i gysgu.

'Coda, yr hoeden ddiog!' gwaeddodd. 'Mae dy chwaer Holena eisiau powlennaid o fefus i frecwast ar ddydd Nadolig. Rhaid i ti fynd i'r goedwig i chwilio am rai.'

'Ond mae'n ganol gaeaf!' meddai Marushka. 'Does dim mefus i'w cael yr adeg yma o'r flwyddyn.'

'Gwna fel rydw i'n dweud wrthot ti!' gwaeddodd ei llysfam. 'Neu mi wna i dy guro nes byddi di'n gleisiau i gyd!'

Felly, unwaith yn rhagor, lapiodd Marushka ei hun yn ei dillad gystal ag y gallai, ac i ffwrdd â hi drwy'r eira. Y tro hwn, aeth yn syth i fyny'r bryn bach. Roedd y Deuddeg Mis yn dal yno, yn eistedd o amgylch y tân.

'Beth wyt ti eisiau'r tro hwn?' gofynnodd yr hen Ragfyr.

'Mefus,' atebodd Marushka, yn teimlo cywilydd. 'I'm hanner chwaer.'

'Ac os na ddowch o hyd iddyn nhw?' gofynnodd Rhagfyr.

'Fe ga' i 'nghuro nes y bydda i'n gleisiau i gyd.'

'Wela i,' meddai Rhagfyr. 'Brawd Mehefin! Tyrd i gymryd fy lle.'

Cyn hir, roedd yn haf ar ben y bryncyn. A llanwodd Marushka ei ffedog â mefus aeddfed coch.

'Diolch eto,' meddai wrth y dynion. A brysiodd adref.

'Dydw i ddim yn credu'r peth!' meddai Holena, pan ddaeth Marushka yn ei hôl. Ond chymerodd hi fawr o amser iddi lowcio'r mefus i gyd.

'Afalau!' gwaeddodd, a sudd y mefus yn dal i ddiferu o'i gwefusau barus. 'Rydw i eisiau afalau rŵan! Dos i gasglu rhai.'

111

'Ond mae hi'n ganol gaeaf,' ceisiodd Marushka egluro. 'Does dim afalau i'w cael.'

'Dim afalau?' gwenodd Holena yn llawn sbeit. 'Paid â dweud hynny wrtha i. Rydw i'n siŵr fod digonedd o afalau ar ben y bryncyn hwnnw. A dweud y gwir, rydw i'n siŵr fod digonedd o bethau da i fyny fan'na nad wyt ti wedi dweud wrthon ni amdanyn nhw. Rwyt ti eisiau eu cadw nhw i gyd i ti dy hun, yn dwyt? Wel, mi gawn ni weld am hynny.'

A chyn i Marushka na'i mam allu ei rhwystro, rhuthrodd Holena drwy'r drws ac i ffwrdd â hi i'r goedwig. Rhuthrodd drwy'r eira, heb feddwl am yr oerni, nes iddi ddod o'r diwedd at y fan lle'r eisteddai'r Deuddeg Mis.

'Beth wyt ti ei eisiau?' holodd Rhagfyr, yn union fel roedd wedi holi Marushka.

'Meindiwch eich busnes, hen ddyn!' meddai Holena'n flin. 'Chwilio am afalau ydw i. Cafodd fy chwaer Marushka fioledau a mefus, felly rydw i'n siŵr fod afalau i'w cael yma hefyd.'

Crychodd Rhagfyr ei aeliau. Doedd o ddim yn hoffi'r ferch hy hon, na'r ffordd y siaradai am ei chwaer. Felly cododd ei freichiau hynafol, a dechreuodd gwyntoedd mwyaf ffyrnig Rhagfyr chwythu. Dilynwyd hyn gan storm eira enbyd, ac aeth Holena ar goll yn y storm a'r oerfel dychrynllyd.

Ddaeth hi ddim 'nôl y noson honno, ac aeth ei mam allan i'r eira i chwilio amdani. Welodd Marushka 'run ohonyn nhw byth eto.

Ac am Marushka ei hun, doedd ganddi hi ddim mymryn o awydd mynd allan i'r eira. Felly cyneuodd dân, symudodd o'i chornel ac eistedd o flaen y tanllwyth, a mwynhau'r Nadolig gorau a gafodd erioed!

Meibion y Crydd

Ffarweliodd y crydd â'i dri mab a cherdded i lawr ochr y mynydd i'r pentref islaw.

Noswyl Nadolig oedd hi – amser gwael i adael y bechgyn adref ar eu pennau eu hunain. Ond roedd milwyr yn y pentref wedi dod adref o'r rhyfel. Ac roedd y crydd yn gobeithio cael gwaith yn trwsio esgidiau'r milwyr fel y gallai lenwi ei gypyrddau gwag a'r gwagle oedd dan y goeden lle dylai'r anrhegion fod.

'Peidiwch â gadael i neb ddod i mewn i'r tŷ am unrhyw reswm,' rhybuddiodd y crydd y bechgyn. A dyma nhw'n cytuno, fel y gwnaethon nhw bob tro o'r blaen.

Unwaith roedd eu tad wedi mynd, swatiodd y tri brawd yn y gwely mawr. Wedi'r cwbl, doedd dim i'w fwyta. Doedd dim anrhegion newydd i chwarae gyda nhw. Felly gobeithiai'r bechgyn gael Nadolig llawen – yn eu breuddwydion o leiaf.

Ond nid felly y bu. Oherwydd, wrth iddyn nhw geisio mynd i gysgu, dechreuodd y gwynt chwythu. Crafai canghennau'r goeden yn erbyn y ffenestri a churai cloriau pren y ffenestri yn erbyn y waliau.

Roedd y brodyr wedi dychryn, ac fe dynnon nhw'r flanced dros eu trwynau. A dyna pryd y clywson nhw'r sŵn curo!

'Cloriau'r ffenest sy'n gwneud y sŵn yna,' meddai'r brawd canol.

'Sŵn y coed ydi o!' meddai'r un ieuengaf.

'Mae rhywun yn curo ar y drws,' meddai'r brawd hynaf, gan godi o'r gwely a mynd i edrych drwy'r ffenest i weld pwy oedd yno.

'Dyn sydd yna, dyn bach,' meddai, 'gyda chlustiau pigog a thrwyn fel rwdan. Mae'n edrych fel petai bron â rhewi!'

'Paid â gadael iddo ddod i mewn!' crefodd y brawd canol.

'Cofia eiriau Tada,' meddai'r brawd ieuengaf.

Ond roedd y brawd hynaf yn siŵr o'i bethau. Efallai yn rhy siŵr.

'Allwn ni ddim gadael iddo rewi!' meddai. 'Nid ar noswyl Nadolig!' Agorodd y drws a gadael i'r dieithryn ddod i mewn i'r tŷ!

'Pam oeddech chi mor hir yn ateb y drws?' gwaeddodd y dyn bach. 'Welsoch chi mohonof yn rhewi allan yn fan'na? Lle mae'r siocled poeth? Y tân cynnes? Y bowlen flasus o gawl? Nid dyma'r ffordd i drin ymwelydd!'

Edrychodd y ddau frawd iau ar ei gilydd, mewn penbleth. Doedd y dyn ddim yn ddiolchgar o gwbl!

'Ond does ganddon ni ddim tân,' eglurodd y brawd hynaf. 'Na bwyd chwaith.'

'Wedi'i lowcio yn barod?' gwaeddodd y dyn bach. 'Yr hogiau barus! Wel, o leiaf gallwch wneud dipyn o le i mi yn eich gwely cynnes, braf.'

A dweud y gwir, doedd o ddim yn wely braf o gwbl. Roedd y matres yn llawn lympiau, ac roedd y blancedi'n denau. Ond ni sylwodd y dyn bach. Neidiodd i'r gwely rhwng y ddau frawd bach a chipio hanner y flanced!

'Arhoswch funud!' meddai'r brawd hynaf. Ond pan geisiodd ddringo 'nôl i'r gwely, cafodd ei gicio allan gan y dyn bach! Saethodd y brawd hynaf ar draws y stafell. A phan drawodd y llawr, roedd yn dal i droi. Yna, dechreuodd rolio tin-dros-ben ar draws y stafell.

Allai o ddim stopio, ac roedd ar fin crefu am help pan sylwodd ar orenau ffres a siocled a melysion eraill yn dod allan o'i bocedi bob tro roedd yn troi drosodd!

Yn y cyfamser, roedd y dyn bach yn dal i ddwyn y flanced.

'Dwi'n dal ddim yn ddigon cynnes,' cwynodd. A chiciodd y brawd canol allan o'r gwely hefyd!

Yn fuan, roedd yntau'n rolio tin-dros-ben hefyd. Ac o'i bocedi, dôi cacennau, bisgedi a phob math o bethau melys!

Yna, edrychodd y dyn bach ar y brawd ieuengaf, a oedd yn gafael yn dynn yng nghornel olaf y flanced.

'Dwi'n dal yn oer!' cwynodd. Ond wrth iddo gicio'r bachgen lleiaf o'r gwely, gwaeddodd ei frodyr, 'Peidiwch! Dydi o ddim yn gallu gwneud campau!'

'Well i chi ei droi ben i waered ac ysgwyd ei bocedi!' meddai'r dyn bach yn flin.

A dyna wnaethon nhw. A chwarddodd y tri ohonynt pan ddaeth darnau o aur ac arian o'i bocedi!

Erbyn hyn roedd y llawr wedi'i orchuddio – â chacennau a melysion a darnau o aur ac arian. Ond pan drodd y brodyr i ddiolch i'r dyn bach, roedd wedi diflannu!

Ymhen tipyn, daeth y tad adref a'i freichiau'n llawn o fwyd ac anrhegion roedd wedi'u prynu â'r arian a gawsai am drwsio'r esgidiau. Meddyliodd y byddai'r bechgyn wedi'u synnu. Ond y crydd gafodd y sioc fwyaf o bell ffordd.

'O ble daeth y rhain i gyd?' holodd. A phan ddywedodd y bechgyn yr hanes wrtho, gan weiddi a chwerthin a thorri ar draws ei gilydd, gwenodd y crydd. Roedd wedi synnu cymaint fel yr anghofiodd roi cerydd iddyn nhw am adael i'r dyn dieithr ddod i mewn i'r tŷ.

115

'Laurin, brenin y corachod, ddaeth yma,' eglurodd. 'Yn ôl y chwedl, mae'n ymweld ag un tŷ bob Nadolig, yn chwarae ei driciau, ac yna'n diflannu i'r nos. Chredais i erioed mo'r stori ...' Yna, edrychodd ar y trysorau oedd yn gorchuddio'r llawr, 'tan heddiw!'

Gyda'i gilydd, fe gasglon nhw'r melysion, yr arian a'r cacennau. A hwnnw oedd y Nadolig gorau a gafodd y crydd a'i deulu erioed!

Y Jyglwr Bach

I fyny ac i lawr, rownd a rownd, dawnsiai'r peli melyn yn yr awyr.

Yn ystod yr haf, byddai'r torfeydd yn curo eu dwylo ac yn lluchio arian i mewn i gwpan y jyglwr. Ond nawr fod y gaeaf wedi dod, doedd neb eisiau sefyll allan yn ei wylio. Ac felly, roedd y jyglwr bach yn oer ac yn dlawd ac yn llwglyd.

I fyny ac i lawr, rownd a rownd, neidiodd a disgyn a rholio – dim ond er mwyn cadw ei hun yn gynnes. A phan nad oedd ganddo nerth ar ôl yn ei gorff hyd yn oed i wneud hynny, eisteddodd i lawr ar sgwâr y pentref a dechrau crio.

'Beth sy'n bod, fachgen?' gofynnodd hen fynach mwyn.

Sychodd y jyglwr ei lygaid. 'Does gen i ddim tad na mam,' snwffiodd. 'Dim bwyd, dim pres a dim cartref.'

Edrychodd y mynach ar y jyglwr bach. Bachgen bach oedd o, dim mwy na naw neu ddeg oed.

'Mae gen i syniad,' meddai'r mynach. 'Pam na ddoi di gyda mi i'r abaty? Hen le drafftiog ydi o, dwi'n cyfaddef, ond mae digon i'w fwyta a'i yfed yno. A beth bynnag, rydw i wastad wedi meddwl y byddai'n syniad da cael jyglwr i'n diddori!'

Ac felly aeth y jyglwr bach gyda'r mynach i'r abaty. Roedd ganddo fwyd a diod a lle i aros. Ac yn well na dim, roedd ganddo gynulleidfa!

I fyny ac i lawr, rownd a rownd, dawnsiodd a neidiodd y jyglwr bach, a dangos ei driciau i'r mynachod. Ac yn union fel y dorf yn y farchnad, curodd y mynachod eu dwylo a chymeradwyo a galw am ragor o driciau.

Wrth i'r Nadolig nesáu, fodd bynnag, doedd gan y mynachod ddim llawer o ddiddordeb yn nhriciau'r jyglwr bach.

'Mae ganddon ni lawer i'w wneud,' eglurodd yr hen fynach. 'Rhaid i bob un ohonom wneud anrheg Nadolig i'r baban Iesu a Mair ei fam.'

I fyny ac i lawr, rownd a rownd, crwydrodd y jyglwr bach o amgylch yr abaty, yn gwylio'r mynachod. Roedd rhai yn peintio lluniau, eraill yn cyfansoddi caneuon. Roedd rhai yn copïo darnau o'r Beibl mewn llawysgrifen odidog. Roedd eraill yn cerfio sgrin bren i'w gosod o amgylch yr allor.

Byddai'n dda gen i pe gallwn greu rhywbeth hardd, meddyliodd y jyglwr bach, rhywbeth arbennig ar gyfer y Forwyn Fair a'i phlentyn.

O'r diwedd cyrhaeddodd noswyl Nadolig, a gorymdeithiodd y mynachod i mewn i'r eglwys lle roedd cerflun o'r Forwyn Fair. Gosododd pob un ei anrheg o'i flaen, a gwyliodd y jyglwr bach nhw a dagrau yn ei lygaid, achos doedd ganddo ddim byd i'w roi. Ond wrth i'r mynachod gerdded allan eto, cafodd y jyglwr bach syniad. Arhosodd yno yn y cysgodion, ac wedi i'r mynachod ymadael, safodd o flaen y cerflun.

'F'annwyl Forwyn,' meddai. 'Does gen i ddim byd hardd i'w roi i chi. Ond un peth y gallaf ei wneud yw jyglo. Felly dyna beth a gyflwynaf i chi ar noswyl Nadolig fel hon.'

I fyny ac i lawr, rownd a rownd, neidiodd y jyglwr bach, rholio a throi o flaen y cerflun. Ond yr hyn na wyddai oedd fod rhywun arall yn gwylio hefyd – ei gyfaill, yr hen fynach caredig. Roedd wedi mynd i stafell y jyglwr i ddweud nos da wrtho, ac wedi sylweddoli nad oedd y bachgen yno.

Ni wyddai'r hen fynach beth i'w wneud. Doedd o erioed wedi clywed am neb yn gwneud campau mewn eglwys. Wyddai o ddim oedd hynny'n beth iawn i'w wneud hyd yn oed. Ond yr hyn a wyddai'n bendant oedd fod jyglo a champau'r bachgen yn well nag erioed. Felly, y cyfan wnaeth y mynach oedd sefyll yno yn y tywyllwch yn syllu arno.

Wedi i'r jyglwr bach orffen gwneud ei driciau, roedd wedi ymlâdd, a disgynnodd ar lawr yr eglwys a syrthio i gysgu. Camodd yr hen fynach tuag ato, ei godi a'i gario i'w stafell. Ond cyn iddo allu symud, cafodd weledigaeth anhygoel! Edrychodd yn gegrwth wrth weld y Forwyn Fair ei hun – nid ar ffurf cerflun bellach – yn cerdded o gefn yr allor, a llu o angylion yn ei dilyn.

I fyny ac i lawr, rownd a rownd, hedfanodd yr angylion, gan lenwi'r eglwys â'u cân. Ac wrth iddyn nhw ganu, cymerodd Mair y jyglwr bach yn ei breichiau a diolch iddo am ei anrheg Nadolig.

Yna, mor sydyn ag y daethon nhw, diflannodd y Forwyn Fair a'r angylion. Rhuthrodd y mynach o'r cysgodion a gweiddi, 'Mae gwyrth wedi digwydd!' Ac mewn dim, roedd y mynachod i gyd wedi deffro i glywed y newyddion.

'Ti roddodd yr anrheg orau i gyd!' meddai'r mynach wrth y jyglwr. 'Oherwydd i ti roi o dy orau.'

Ac felly, gwnaeth y jyglwr bach ragor o gampau o flaen yr allor, i fyny ac i lawr, rownd a rownd, y diwrnod hwnnw, a'r diwrnod canlynol, ac am weddill ei oes faith a hapus!

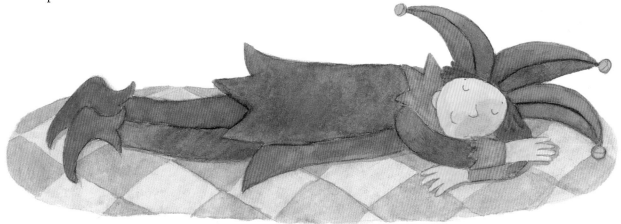

Rhannu stori

Nid proses unffordd yw adrodd stori. Ar ei gorau, mae'n fath o ymddiddan, rhywbeth sy'n digwydd rhwng storïwr a chynulleidfa. Un ffordd o hybu hynny yw cael y gynulleidfa i gyfrannu at y stori mewn ffyrdd penodol. Dyma ychydig o awgrymiadau sut i gael grwpiau o blant (neu oedolion) i uniaethu â *Llyfr Mawr Straeon y Nadolig*. Efallai y bydd y syniadau hyn yn eich ysgogi i feddwl sut y medrech chi ddefnyddio straeon eraill o'r gyfrol. Yn bennaf oll, mwynhewch adrodd y straeon ac os nad yw un syniad yn gweithio, rhowch gynnig ar rywbeth arall. Mwynhewch eich hunan – ac fe fydd y rhai sydd yn gwrando yn mwynhau hefyd!

Stori Sachareias (tud. 12)

Rhannwch eich criw yn ddau. Bydd un grŵp yn chwarae rhan Gabriel. Bob tro y caiff ei enw ei grybwyll, maen nhw'n sefyll ar eu traed, yn lluchio'u breichiau i'r awyr a gweiddi, 'Newyddion da!' Bydd y grŵp arall yn chwarae rhan Sachareias. Bob tro y caiff ei enw ef ei grybwyll, mae'r grŵp hwn yn sefyll ar ei draed, yn crynu ac yn dweud mewn llais fel un hen ŵr, 'A-a-a!' Heblaw am y tro olaf, wrth gwrs, pan fydd yn rhaid i chi eu hatgoffa i gadw'n dawel.

Newyddion da i Mair (tud. 14)

Yn y stori hon mae pawb yn chwarae rhan Mair. Ond nid oes angen iddyn nhw ddweud dim pan glywant ei henw. Yn hytrach, maen nhw'n ymateb fel Mair pan gaiff neges yr angel. Efallai y bydd yn rhaid i chi eu helpu efo hyn, neu gael rhywun arall i'w helpu – ond bydd yn dod â nhw yn agos at brofiad Mair.

Felly maen nhw: yn breuddwydio gyda hi (golwg fyfyrgar); yn ofni efo hi (crynu); yn drysu gyda hi (golwg ddryslyd); yn crynu eto; yn agor eu llygaid a'u cegau'n fawr; yn gweddïo gyda hi (penlinio); yn agor eu llygaid gyda hi.

Efallai yr hoffech ymarfer y symudiadau hyn gyda'r grŵp cyn i chi ddweud y stori. Ceisiwch wneud hynny heb ddatgelu gormod o'r stori.

Cân Arbennig Mair (tud. 16)

Amser am dipyn o fioleg! Holwch aelodau'r grŵp a ydyn nhw erioed wedi teimlo babi'n cicio, pan wyddai eu mam neu ferch arall ei bod yn feichiog. Dywedwch wrthyn nhw eu bod i gyd am gymryd arnynt eu bod yn feichiog (hyd yn oed y bechgyn!). A phan mae Elisabeth yn teimlo'i babi'n cicio / neidio, mae pawb yn rhoi eu dwylo ar eu boliau ac yn dweud 'O!' mewn syndod!

Efallai y byddai'n ddiddorol cael criw i ailadrodd cân Mair ar eich ôl, fesul llinell. Mae'n faith, felly efallai y byddai'n gweithio'n well petaech yn rhannu'r criw yn dri, a'u bod yn cymryd eu tro. Cael criw 1 i ddweud y llinell gyntaf, criw 2 i ddweud yr ail linell, criw 3 i ddweud y drydedd linell, a 'nôl i griw 1 i ddweud y bedwaredd.

Enw i'r Babi (tud. 18)

Oherwydd bod y pwyslais yn y stori hon ar bwysigrwydd enwau, a'r angen i Sachareias ac Elisabeth roi'r enw a ddywedodd yr angel wrthynt am ei roi – beth am ddechrau drwy ddweud hynny wrth y gynulleidfa? Ac yna, bob tro mae'r gair 'enw' yn cael ei ddweud, dywedwch wrthyn nhw am weiddi eu henwau eu hunain! Efallai y byddwch am drafod gyda nhw o ble daeth eu henwau nhw. Ai enw teulol ydyw, neu beth yw ystyr eu henwau?

Breuddwyd Joseff (tud. 20)

Mae Joseff yn drist, felly pan gaiff ei enw ei ddweud, mae'n rhaid i bawb ochneidio'n uchel. Efallai fod angen i'r ochneidio fynd yn gryfach wrth i'r stori fynd rhagddi. Ac wrth i'r enw gael ei ddweud am y tro olaf yn y stori, gofynnwch a oes angen iddo ddal i ochneidio – ac yna, gorffen y stori.

Os ydych yn gwneud hyn yn y drefn hon, efallai y gallwch eu perswadio i weiddi 'Newyddion da!' bob tro y caiff yr enw Gabriel ei ddweud.

Amser Cyfri'r Bobl (tud. 22)

Stori gyfri yw hon (fel yr un sy'n ei dilyn!), felly dywedwch wrth y criw am gyfri i naw gyda'i gilydd. Defnyddiwch y mydr yn y cyfri i roi tipyn o fywyd i'r stori (er gwaetha'r ffaith fod rhan o'r stori'n drist).

Taith Hir (tud. 24)

Mae'r cyfri'n parhau! Fel yn y stori flaenorol, ceisiwch gael y gynulleidfa i gyfri i'r mydr, a helpwch nhw pan fydd hyn yn digwydd yn y stori. Yn ystod y cyfri olaf, efallai yr hoffech gymryd arnoch eich bod yn edrych i fyny ac i lawr y stryd, fel Joseff.

Stabl Swnllyd (tud. 26)

Dwi'n hoffi hon! A'r plant hefyd. Dysgwch nhw i wneud synau'r anifeiliaid cyn i chi ddechrau adrodd y stori. A sŵn y babi hefyd. Gallwch eu cael i wneud yr holl synau gyda'i gilydd (sy'n llawer gwell gyda phlant iau) neu eu rhannu'n grwpiau llai, â phob grŵp yn gwneud un o'r synau. Efallai y hoffech gael un person yng nghornel y stafell i wneud sŵn y babi.

Rydw i'n aml wedi cyfuno'r stori hon â'r un flaenorol i lunio pasiant Nadolig – ac mae'n gweithio'n dda iawn gyda phlant bach. Does dim angen llawer o baratoi, ac os ydych yn defnyddio'r synau, gall rhieni a theidiau a neiniau helpu gyda'r cyfri a'r synau.

Llu o Angylion (tud. 28)

Rhannwch eich cynulleidfa yn ddwy ran. Mae un criw yn chwarae rhan Gabriel – a gweddill yr angylion yn ogystal. Pan gaiff enw Gabriel ei ddweud, mae rhaid iddyn nhw ddweud 'Newyddion da!' Yna cyfansoddwch alaw ar gyfer y gân fechan maen nhw'n ei chanu. Does dim rhaid iddi fod yn alaw gymhleth. Neu gallant weiddi efo'i gilydd. Ond beth bynnag fydd eich dewis, gwnewch yn siŵr eu bod yn ei wneud ar yr amser iawn. Caiff y criw arall fod yn fugeiliaid. Dywedwch wrthyn nhw am ddylyfu gên ac ymddwyn yn gysglyd. Yna, rhaid iddyn nhw grynu, a neidio ar eu traed mewn dychryn a smalio rhedeg i Fethlehem. A gwnewch iddyn nhw chwerthin ar y diwedd. Rhaid ymarfer y synau / symudiadau hyn cyn dechrau, ac yna'u helpu i'w gwneud ar yr amser cywir.

Taith y Doethion (tud. 30)

Bydd angen dau griw llai eto – un ar gyfer y sêr sy'n disgleirio, a'r llall ar gyfer y seren sy'n gwibio. Ar gyfer y sêr, gallant agor a chau eu dwylo a dweud 'Sêr yn disgleirio!' Ac ar gyfer y seren wib, gallant luchio'u breichiau i'r awyr a gweiddi 'Wwsh!' Os dymunwch gael trydydd criw, gallent actio'r llifogydd neu'r daeargryn, ac yna smalio rhoi coron ar eu pennau, wrth i'r doethion geisio deall beth yw arwyddocâd y seren.

Y Seren a Wibiodd Heibio! (tud. 30)

Dau griw fydd yn gweithio orau eto – neu efallai y gallwch gael pawb i wneud popeth gan nad yw gwaith un grŵp yn amharu ar y llall.

Felly bydd angen mwy o 'Wwsh!' – bob tro mae'r seren yn symud (a phan mae'r doethion yn symud hefyd). Felly symudwch yn sydyn i'r dde, i'r chwith, dros fynyddoedd, gan newid cyfeiriad bob tro. Ac efallai y bydd angen gwneud sŵn brêcs yn gwichian pan fydd y seren yn aros! Yna, pan gaiff enw Herod ei grybwyll, rhaid i'r grŵp arall – neu bawb! – weiddi 'Bŵ!' neu 'Hish!' – neu gallent chwyrnu gydag o, a dweud 'Grrr!' yn ffyrnig, sydd yn cyfleu mwy am gymeriad Herod.

Anrhegion i Frenin (tud. 34)

Dau griw neu dri. Mae un criw yn chwarae rhan y sêr, ond dydyn nhw ddim yn gwibio'r tro hwn, dim ond symud yn araf. Gwnewch iddyn nhw symud yn dawel, gan sibrwd 'Sh!' wrth iddyn nhw arwain y doethion i'r tŷ, ac wrth iddyn nhw ddisgleirio yn yr awyr. Mae'r criw arall yn actio'r 'anrhegion'! Mae Aur yn dweud 'Disgleirio!' Mae Myrr yn dweud 'Drewi!' ac mae Thus yn dweud 'Llyfn!' Ac efallai fod angen cael un 'Newyddion da!' eto i Gabriel.

Neu gellir cael pawb i actio popeth. Bydd yn well gan y rhai lleiaf hynny beth bynnag!

Cynllun Erchyll Herod (tud. 36)

Mae un criw yn actio Herod, a'r llall yn chwarae rhan Joseff – ond gyda symudiadau ddigon tebyg i'w gilydd! Mae angen i'r criw

cyntaf grychu eu haeliau gyda Herod, chwyrnu gydag o, crensian eu dannedd gydag o. Efallai y hoffech iddyn nhw weiddi gydag o, 'Mae'r doethion wedi MYND!' ac yna eu cael i wenu gwên yn llawn malais gydag o. Gall y criw arall gysgu (chwyrnu) gyda Joseff, gwenu'n freuddwydiol gydag o, ac yna grychu eu haeliau gydag o. A neidio i fyny pan wnaiff o hynny. Ac wrth gwrs, os oes gennych rywun sy'n actio rhan Gabriel bob tro, caiff hwnnw neu honno weiddi 'Newyddion da!' unwaith yn rhagor!

Befana (tud. 40)

Mae'r symudiadau'n reit amlwg yn y stori hon, yn tydyn? Shwsh, shwsh, shwsh.

Felly dywedwch wrth eich cynulleidfa am afael yn eu hysgubau a sgubo! Ac fe allan nhw wneud y symudiadau yn ogystal â'r sŵn.

Crefft y Brawd Ffroilan (tud. 44)

Mae angen synau anifeiliaid yn y stori hon – llawer ohonyn nhw! – i gyd-fynd â cherfiadau'r Brawd Ffroilan. Felly gwnewch restr o'r anifeiliaid sy'n cael eu crybwyll yn y stori, ac ymarfer i ddechrau fel bod pawb yn gwybod pa synau i'w gwneud. (Mae sŵn poeri yn un da iawn ar gyfer camelod, ac mae'r plant wrth eu bodd yn ei wneud!)

Yna, adroddwch y stori gyda phawb yn gwneud y synau. I gael tipyn o hwyl, yn enwedig os mai criw bychan sydd gennych, gallwch eu rhybuddio y byddwch yn pwyntio at rywun gwahanol bob tro, ac y dylen nhw fod yn barod i wneud y sŵn!

Niclas, yr Esgob Caredig (tud. 47)

Does dim cymaint â hynny o gyfle i gymryd rhan yn y stori hon (oni bai eich bod eisiau chwarae gêm 'taflu bag drwy'r ffenest'!).

Felly, beth am droi'r stori yn bos? Cyn dechrau, dywedwch wrth y gwrandawyr eich bod am adrodd stori wrthyn nhw am rywun dydyn nhw erioed wedi clywed amdano, ond sydd hefyd yn debyg i rywun enwog iawn. Gofynnwch iddynt wrando'n astud, a cheisio dyfalu pwy yw'r person dan sylw.

Y Camel Lleiaf Un (tud. 50)

Y tro hwn, bydd eich cynulleidfa'n 'Rhedeg gyda'r Camelod'! Wel, gydag un camel o leiaf – y lleiaf un. Mae yna ymarferiad cyfri bach yng nghanol y stori sy'n disgrifio sut mae'r camel yn symud ei goesau blinedig – un cam, dau gam, tri cham a phedwar. Dysgwch y grŵp i gydadrodd hyn, a phan fydd y camel yn symud ei goesau bach, gwnewch chithau yr un fath, yn flinedig, ryw ddwy waith, fel eu bod i gyd yn teimlo fel y camel. Ac yna'n gynt, wrth iddo geisio dal i fyny efo'r camelod mawr.

Taith Wenseslas Drwy'r Eira (tud. 52)

Bwyd, gwin, coed tân. Sonnir am y rhain deirgwaith yn y stori (yn nhraddodiad storïau da!) ac maen nhw'n ganolog i haelioni'r brenin, felly'r rhain fydd sail ein rhannau.

Pan sonnir am 'fwyd', rhaid i bawb geisio dynwared rhywun yn llowcio rhywbeth blasus. Pan sonnir am 'win', bydd angen iddyn nhw godi eu gwydrau mewn llwncdestun. A phan sonnir am goed tân, rhaid i bawb weiddi 'Coed!' A gwnewch yn siŵr eich bod yn arwain pawb i ganu'r garol ar y diwedd. Ac os nad ydyn nhw'n ei gwybod, ceisiwch ei hymarfer cyn dweud y stori, a rhoi cyfle iddyn nhw ei chanu ar y diwedd.

Sanau Terwyn (tud. 56)

Bydd angen tri grŵp y tro hwn: un grŵp i ddweud 'Ydi' gyda Terwyn; grŵp arall i ddweud 'O na!' gyda Terwyn; a'r trydydd grŵp i chwifio ysgub ffug yn yr awyr bob tro mae mam Terwyn yn gwneud hynny.

Blodyn Nadolig (tud. 60)

Stori fach dawel iawn yw hon, felly rhowch rywbeth tawel a chlên i'r criw ei wneud. Bob tro y clywan nhw'r gair 'dagrau', dywedwch wrthyn nhw am dynnu eu bys i lawr eu grudd.

Y Goeden Nadolig Gyntaf (tud. 62)

Gellid gwneud dau beth – efo dau griw os dymunwch. Yn gyntaf, crio efo'r plentyn sydd ar fin cael ei aberthu. Mi wnaiff 'Help! Help!' y tro. Yn ail, torrwch y goeden efo Boniface, gan ddweud 'Torri! Torri! Torri!' wrth wneud y stumiau.

Pibonwy (tud. 64)

Trefnwch eich criw i roi eu breichiau allan fel canghennau, a'u hysgwyd pan fydd y coed yn gwneud hynny yn y stori. Yna, gofynnwch iddyn nhw roi eu breichiau i lawr, fel y gwnaeth y coed pinwydd o amgylch Joseff a Mair. Yna, rhaid mynd yn hollol stiff dan bwysau'r eira a'r pibonwy!

Y Tinsel Cyntaf (tud. 66)

Beth am gael eich criw i ddynwared symudiadau pry cop â'u bysedd gan ddweud, 'Criceti, cracati, copyn dod atat ti!' bob tro y sonnir am y pry? Dewis arall fyddai cael y bechgyn i wneud hyn (mewn llais dwfn efallai) pan sonnir am Prys Copyn, a'r merched (mewn llais uchel, gwichlyd) i wneud hynny pan sonnir am Ceri Copyn. Pawb efo'i gilydd, wrth gwrs, pan sonnir am y ddau!

Pasiant Nadolig Ffransis (tud. 68)

Mae rhannau i filoedd o bobl yn y stori hon! Wel, ddim cymaint â hynny, efallai, ond mae angen llawer o wahanol bobl. Felly os nad yw eich criw yn ddigon mawr, rhowch ychydig o reolau cyn dechrau'r stori. A gwnewch yn siŵr eu bod yn gwneud y stumiau a'r synau ar yr adeg gywir:

'I-o!' ar gyfer yr asyn a defnyddio'r dwylo fel clustiau; buwch – 'Mw!', bysedd fel cyrn; bachgen â ffon: 'Hwrê' gan smalio chwifio'r ffon uwch ei ben; merch fach: llais gwichlyd, 'Helô!' gan godi ei llaw; pobydd: 'Mmm, cacennau!', gan rwbio'r bol neu ddal plât yn uchel; gof: sŵn curo haearn a'r stumiau; jyglwr: smalio jyglo, pêl yn disgyn ar ei ben (Ow!); milwr: rhoi saliwt, 'Ie, syrrr!'; ceffyl: codi ei garnau a gweryru; gwraig gloff: smalio cerdded efo ffon, 'Helô, cariad!' mewn llais hen wraig; tlotyn: 'Ga' i ragor, plis?' neu 'Ceiniog i'w sbario, falle?'; offeiriad: 'Bendith arnoch chi, 'machgen i.'

Does dim angen rhannu'r criw yn fechgyn a merched y tro hwn. A dweud y gwir, mae cael bachgen i actio merch yn aml yn hwyl, a dyna sydd ei angen – awyrgylch dymhorol wrth i'r bobl gerdded tuag at yr ogof; yna gellir cymharu hynny â'r stori dawel, ddwys sy'n dilyn. A dweud y gwir, os gallwch arwain eich criw i ganu carol gyfarwydd gyda Ffransis, byddai'n wych.

Cân Nadolig y Tad Josef (tud. 71)

Dywedwch wrth y criw am guro eu traed yn yr eira ac ysgwyd yr eira oddi ar eu hysgwyddau, wrth iddyn nhw gerdded drwy'r eira gyda'r Tad Josef. Ac yna, arweiniwch bawb i ganu pennill neu ddau o 'Dawel Nos' ar y diwedd. Os nad yw hon yn gyfarwydd, dysgwch hi ar y dechrau gan egluro bod y gân yn rhan bwysig o'r stori. Ac os gallwch chi neu rywun arall chwarae'r gitâr, gorau oll!

Rhosyn y Nadolig (tud. 74)

Rydym am dwyllo rhywfaint yma (dwi'n gwneud hynny'n aml yn fy storïau!). Gwn fod y Brawd Erik yn dweud tri pheth gwahanol bob tro mae'n cwyno, ond er mwyn cadw pethau'n syml, rydym am ei gael i ddweud yr un tri pheth bob tro: 'Mae gen i boen yn fy nghefn! Mae fy mhengliniau'n fudr! Mae draenen yn fy mawd!' Gall pawb ddweud y tair brawddeg, neu gellir rhannu'r

criw yn dri a chael pob criw bach i ddweud un frawddeg. Yn ogystal â'r geiriau, gallwch wneud ystum bach syml: dwylo ar y cefn; pwyntio at y pengliniau; pwyntio at eich bawd. Gorau po fwyaf o ffws!

Y Gigfran (tud. 80)

Dysgwch eich criw i grawcian yn swnllyd, a phob tro mae'r gigfran yn crawcio neu'n crio, dywedwch wrthyn nhw am ymuno.

Yr Ŵyn Bach (tud. 82)

Gadewch i'r gwrandawyr actio gyda'r ŵyn bach. Yna fe allan nhw chwerthin gyda nhw, gwneud sŵn brefu diniwed, chwyrnu'n ysgafn, prancio gyda nhw a rhedeg gyda'r oen unig a aeth at y preseb. Bydd angen dysgu'r symudiadau o flaen llaw – a'u harwain pan gyrhaeddwch y man cywir yn y stori.

Y Baban yn y Toes (tud. 85)

Dysgwch y gwrandawyr i wneud symudiadau i gyd-fynd â'r frawddeg sy'n cael ei hailadrodd yn y stori: 'Ychwanegwch ddŵr a blawd, a thylino'r toes.' Fel rheol, rydw i'n tywallt dŵr ag un llaw, yn taenu'r blawd â'r llall, ac yna'n smalio tylino efo'r ddwy law. Yna, gallech eu harwain i wneud y stumiau cywir pan gyrhaeddwch y man priodol yn y stori.

Y Wraig Farus (tud. 88)

Bob tro y sonnir am y wraig farus, dywedwch wrth y criw am wneud sŵn cwyno. A phob tro y sonnir am y wraig glên, dywedwch wrth y criw am wenu a dweud 'Helô!' yn siriol.

Brenin y Nadolig (tud. 91)

Rhannwch y criw yn dri. Un criw i actio'r Arglwydd Mwnsh. Bob tro y dywedir ei enw, maen nhw'n gweiddi, 'Fi ydi'r cyfoethocaf!' mewn llais dwfn a smalio chwarae ag arian. Bydd y criw arall yn chwarae rhan yr Arglwydd Pwnsh. Bob tro y dywedir ei enw, maen nhw'n gweiddi, 'Fi ydi'r doethaf!' mewn llais ffôl, gan bwyntio at eu pennau. Bydd y trydydd criw yn actio rhan yr Arglwydd Stwnsh. Bob tro y dywedir enw hwn, rhaid i'r criw weiddi, 'Ond y fi sydd yn perthyn i'r bobl enwocaf!' mewn llais crand, ac yna smalio ateb eu ffôn symudol gan ddweud, 'Helô, cyw!'

Nadolig y Brawd Comgall (tud. 95)

Bob tro mae'r llygoden yn gwichian, dywedwch wrth y criw am ymuno â hi a gweiddi, 'Wich wich wich!' Gorau oll os ydyn nhw eisiau smalio fod ganddynt wisgars a symud eu trwynau fel bydd llygod yn ei wneud!

Ymwelwyr Papa Panov (tud. 99)

Bydd angen tri grŵp y tro hwn: bydd y grŵp cyntaf yn sgubo gyda Sergei, y dyn glanhau'r stryd; yr ail grŵp yn crynu gyda'r ferch fach ac yn magu'r babi; a'r trydydd grŵp yn bwyta cawl yn awchus gyda'r cardotwyr.

Gardd Nadolig Christina (tud. 103)

Byddai'n syniad da helpu Christina i ganu clychau'r eglwys. Ceisiwch gael cyfle i ymarfer hyn cyn dechrau'r stori. Dechreuwch gyda phedwar 'cling-clang', yna pedwar 'ding-dong', ac ar y diwedd, bydd angen pedwar 'BONG, BONG!' annaearol. Arweiniwch y criw i wneud y synau hyn ar yr adeg briodol yn y stori.

Y Goeden Fythwyrdd Fach (tud. 106)

Mae hon yn stori fach drist am goeden fach drist. Dywedwch wrth eich criw am wneud synau bach cwynfanllyd pan mae'r goeden yn cwyno, a synau trist eraill pan mae'r goeden yn drist.

Y Pedwar Tymor (tud. 109)

Ar ddiwedd y stori, dywedwch wrth y gwrandawyr am godi eu breichiau i'r awyr fel yr hen Ragfyr, yna'u chwifio o gwmpas a gwneud synau gwynt a storm.

Meibion y Crydd (tud. 113)

Dysgwch y criw i wneud tri sŵn cyn i chi ddechrau: canghennau coeden yn crafu yn erbyn ffenest (sŵn crafu), cloriau ffenest yn taro yn erbyn y wal (sŵn clepian), a churo mawr ar y drws. Yna, dywedwch wrthyn nhw am wneud y synau hyn ddwywaith ar ddechrau'r stori pan mae hynny'n addas.

Efallai yr hoffech ddewis tri gwirfoddolwr i droi rownd a rownd fel y gwnaiff y tri bachgen pan gânt eu cicio o'r gwely. Ac os oes gennych le (ac yswiriant digonol!), gallech ddweud wrthyn nhw am droi eu cyrff ar siâp seren drosodd a throsodd hefyd!

Y Jyglwr Bach (tud. 117)

Mae'n well sefyll ar gyfer y stori hon, dwi'n credu. Gofynnwch i bawb sefyll ar eu traed, a phan fyddwch yn dweud, 'I fyny ac i lawr a rownd a rownd', dywedwch wrthyn nhw am neidio i fyny, cyrcydu, yna sefyll drachefn a throi yn eu hunfan. A gall pawb fod yn jyglwr bach hefyd!

Gair gan yr awdur

Mae llawer o storïau'r llyfr hwn yn ailadrodd chwedlau traddodiadol o wahanol wledydd. Cawsant eu hadrodd a'u hailadrodd ar hyd y cenedlaethau, ac rydw i'n un o'r storïwyr hynny sy'n eu trosglwyddo o un genhedlaeth i'r llall. Mae pob un ohonom yn defnyddio geiriau neu ymadroddion sydd ychydig yn wahanol, a dyna sut mae'r straeon yn esblygu.

Efallai yr hoffech ddarllen fersiynau eraill o'r storïau hyn, felly carwn gydnabod rhai o'r ffynonellau a ddefnyddiwyd gennyf, er y gallwch ddod o hyd i'r rhan fwyaf o'r straeon hyn mewn sawl casgliad. Ddowch chi ddim o hyd iddynt dan y teitlau rydw i wedi'u rhoi arnynt yn y llyfr hwn, ond dylech ddod o hyd iddynt yn rhwydd yn y llyfrau a grybwyllir.

'Y Pedwar Tymor': *Favourite Fairy Tales Told in Czechoslovakia*, Virginia Haviland, Beach Tree Books, 1995; 'Y Camel Lleiaf Un', 'Y Tinsel Cyntaf', 'Y Gigfran', 'Y Baban yn y Toes': *Hark! A Christmas Sampler*, Jane Yolen, G. P. Putnam's Sons, New York, 1991; 'Befana', 'Niclas, yr Esgob Caredig', 'Taith Wenseslas Drwy'r Eira', 'Blodyn Nadolig', 'Y Goeden Nadolig Gyntaf', 'Pibonwy', 'Pasiant Nadolig Ffransis', 'Cân Nadolig y Tad Josef', 'Rhosyn y Nadolig': *It's Time for Christmas*, Elizabeth Hough Sechrist & Janette Woolsey, Macrae Smith Company, Philadelphia, 1959; 'Crefft y Brawd Ffroilan', 'Yr Ŵyn Bach', 'Nadolig y Brawd Comgall': *Joy to the World*, Ruth Sawyer, Little, Brown and Company, Boston, 1966; 'Y Jyglwr Bach': *The Little Juggler*, Barbara Cooney, Hastings House, New York, 1961; 'Ymwelwyr Papa Panov': *The Lion Christmas Book*, Mary Batchelor, Lion Publishing, Oxford, 1984; 'Meibion y Crydd': *The Remarkable Christmas of the Cobbler's Sons*, Ruth Sawyer, Viking, New York, 1994; 'Gardd Nadolig Christina': *Tales to Tell Around the World*, Pleaseant DeSpain, August House Publishers, Little Rock, 1995; 'Y Goeden Fythwyrdd Fach': addasiad o stori gan Hans Christian Andersen.